Cultuurbepaalde communicatie

De PM-reeks
verschijnt onder hoofdredactie
van Jan de Ruijter

Youssef Azghari

Cultuurbepaalde communicatie

Waarden en belangen van passieve en actieve culturen

ʰNᵇ

UITGEVERIJ NELISSEN | SOEST

Copyright: © Youssef Azghari en Uitgeverij Nelissen, Soest 2005
Omslag: Matt Art Concept & Design, Haarlem
Schilderij omslag: Ferenc Gögös, Wanrooij Fine Art, Huissen
Titel schilderij: Reizigers 1998
ISBN: 90 244 17163
NUR: 812
1e druk: 2005
2e druk: 2006

Uitgeverij Nelissen
Postbus 3167, 3760 DD SOEST
Telefoon: 035 541 23 86, telefax: 035 542 38 77
www.nelissen.nl, e-mail: service@nelissen.nl

Inhoud

Voorwoord

Mijn interesse in het fenomeen 'cultuurbepaalde communicatie', in de volksmond beter bekend als interculturele communicatie, is er met de paplepel ingegoten. Als jongetje van zes jaar emigreerde ik met mijn Marokkaanse familie naar Nederland. Vanaf dat moment begon voor mij de persoonlijke zoektocht naar de sleutel tot betere communicatie tussen mijn oorspronkelijke Marokkaanse en nieuwe Nederlandse cultuur. Hier groeide ik op in twee totaal verschillende culturen. Thuis heerste de Marokkaanse cultuur en op school leerde ik de Nederlandse cultuur kennen. Later kwam daar ook nog de Indonesische cultuur bij doordat ik vanaf mijn twaalfde jaar ook opgevoed werd door mijn Indische familie in Nederland. Het is zeker niet altijd gemakkelijk geweest om deze drie culturen met elkaar te verzoenen. Nu, na bijna 30 jaar in Nederland, kan ik het volgende met trots zeggen. Het opgroeien in deze drie rijke culturen heeft mij op een natuurlijke wijze geholpen om de sleutel tot betere interculturele communicatie te vinden. Met deze sleutel in de hand open ik via dit boek het contact met mensen van alle culturen.

Dit boek geeft namelijk antwoord op de vraag hoe je de dialoog met de ander kunt verbeteren. Het start vanuit de hypothese dat westerse en oosterse culturen door hun filosofische of religieuze kernwaarden bijdragen aan een actieve of passieve houding van hun cultuurdragers. Deze houding wordt beïnvloed door het belang dat men hecht aan de inhoud of vorm van de boodschap. Aan deze houding ligt een aantal cultuurverschillen ten grondslag. Om dit te onderzoeken kun je je onder meer de volgende drie levensvragen stellen:

1   Waarin geloven wij?
2   Hoe willen we met elkaar omgaan?
3   Wat zijn de doelen die we willen bereiken?

Centraal in dit boek staat de wijze waarop oosterse en westerse culturen van invloed zijn op onze kijk op de wereld en ons gedrag in de communicatie met de ander. Om cultuurbepaalde communicatie te verbeteren is een juiste houding onontbeerlijk. Het probleem is: hoe ontwikkel je zo'n houding? De introductie van het brugmodel W & B (waarden en belangen) biedt uitkomst. Aan de hand van voorbeelden uit de praktijk wordt inzichtelijk gemaakt hoe dialogen beter kunnen verlopen.

Dit boek is vooral bedoeld voor studenten Sociale Studies, Communicatiewetenschappen en professionals in de hulpverlening, het onderwijs en de media. Het doel is om via kennis en inzichten in het ontstaan van de eigen houding de ander beter te leren kennen en te begrijpen. Het levert zo de bouwstenen om cultuurverschillen in de communicatie te overbruggen.

Graag wil ik een woord van dank richten aan mensen die mij met veel steun en goede raad hebben bijgestaan. Om te beginnen wil ik mijn partner Raquel bedanken. Zij wist met haar liefde en zorg mij veel energie te geven om dit boek af te schrijven. Mijn hoofdredacteur, Jan de Ruijter, heeft in de rol van sparringpartner met zijn kritische feedback op mijn boek steeds weer mijn gedachten gescherpt. Daarnaast is een laatste woord van dank specifiek bestemd voor alle deeltijdstudenten Social Work die bij mij het vak Transculturele Hulpverlening hebben gevolgd en de voltijdstudenten Communication & Multimedia Design die bij mij het vak Cultuurbepaalde Communicatie hebben gevolgd. Zij, allen student bij de Avans Hogeschool, hebben mij niet alleen inspiratie gegeven om dit boek te gaan schrijven en meegewerkt aan mijn beschrijvend zoekproces, maar ook gevoed met hun vragen en dilemma's uit de multiculturele praktijk. Zes casussen, afkomstig van professionele hulpverleners, heb ik in mijn boek gebruikt om mijn visie en theorie in de praktijk te ondersteunen. Daarvoor mijn hartelijke dank.

Youssef Azghari, Tilburg, april, 2005

Bij de tweede druk
De belangstelling voor mijn boek heeft mijn stoutste verwachtingen overtroffen. Bij de tweede druk is het geactualiseerd. Ik wil mijn lezers hartelijk bedanken voor hun positieve en kritische feedback.

Youssef Azghari, Tilburg, maart 2006

Introductie

Terwijl sinds enige jaren in alle hevigheid debatten in de media woeden over integratie, cultuurverschillen, multiculturele samenleving, islam, enzovoort lijkt er een doodse stilte te heersen onder professionals die niet-westerse allochtonen bijna dagelijks hulp moeten verlenen. Deze 'stilte' valt in de media extra op. Men zou namelijk veronderstellen dat juist mensen die veel met en voor allochtonen werken de debatten over integratie domineren. Het zijn bij uitstek hulpverleners in het veld zoals artsen, verpleegkundigen, jongerenwerkers, maatschappelijk werkers, psychiaters en opbouwwerkers die al jaren de verkleuring van hun cliëntenbestand zien. Hetzelfde geldt ook voor leraren die hun leerlingen en studenten van kleur en cultuur zien verschieten. Zij hebben als veldwerkers de meeste ervaring in het directe contact met van oorsprong niet-westerse Nederlanders. Daardoor hebben zij automatisch al een grote voorsprong opgebouwd op andere professionals die in witte organisaties werken, waar nauwelijks allochtonen werken, zoals in de Nederlandse media (vooral de televisie) en de wereld van de rechtspraak.

In de praktijk blijkt echter een zeer kleine groep intellectuelen uit de politiek en wetenschap, zoals premier Jan-Peter Balkenende en publicist Paul Scheffer, bij de discussies over normen en waarden en multiculturele drama's te domineren. Meestal ontvlammen deze discussies door tragische incidenten waarbij niet-westerse allochtonen betrokken zijn. Zo heeft een jonge Marokkaanse moslimextremist, Mohammed B. genaamd, met de moord op de cineast en columnist Theo van Gogh begin november 2004 ongekende haatgevoelens aangewakkerd bij een aanzienlijk deel van de autochtone bevolking. Veel moslims lieten hun afschuw luid en duidelijk in de media horen. Daarnaast gingen sommige moslims ook de straat op om te protesteren tegen de anti-westerse haat en het geweld van moslimterroristen. Op de moord van deze bekende televisiepersoonlijkheid volgden on-Nederlandse taferelen, zoals het bekladden en in brand steken van islamitische basisscholen, moskeeën en kerken. (Zie ook mijn essay in 'Hoe nu verder?', 2005, p.128-134) Ook de Turkse scholier Murat D. heeft met het doodschieten van de conrector Hans van Wieren, in januari 2004, voor een enorm tumult en voor ruis gezorgd in de communicatie tussen autochtonen en allochtonen. Na zo'n incident klinkt steevast de roep om volledige assimilatie van allochtonen door opiniemakers en beleidsmakers (of het land uit!) nog luider. Alsof assimilatie crimineel gedrag zou voorkomen.

De slogan *Integratie met behoud van eigen identiteit* die begin jaren tachtig hoog op de agenda stond van de politiek is na 11 september 2001 naar een absoluut dieptepunt gezonken. In Nederland heeft, wat dat betreft, een radicale ommezwaai plaatsgevonden van de kijk op niet-westerse allochtonen, vooral van degenen met een moslimachtergrond. Vanaf de jaren zestig werden allochtonen vanwege hun exotische cultuur vaak - tegen hun zin in - letterlijk vertroeteld. Misstanden tussen allochtonen en autochtonen werden gauw met de mantel der liefde bedekt. Tegenwoordig worden allochtonen nogal eens vanwege hun vreemde cultuur als gevaarlijk en achterlijk beschouwd. Bijna alle misstanden in Nederland komen door toedoen van allochtonen, beweren tegenwoordig de neoconservatieve krachten in de politiek en media. Beide zienswijzen (de cultuur van de ander is in zijn geheel hetzij prachtig of achterlijk) getuigen van een blikvernauwing. Die beweringen zijn bovendien vaak discriminerend van aard en hebben tot nu toe minimaal bijgedragen tot wederzijdse acceptatie of emancipatie.

Sommige discussies zijn op z'n minst dubieus of zelfs gevaarlijk te noemen doordat een misdrijf door een allochtoon vaak verklaard wordt vanuit zijn culturele wortels. Zo heeft een aantal journalisten en wetenschappers het misdrijf van Murat D. direct verbonden met zijn culturele wortels zonder op de hoogte te zijn van zijn motief tot het plegen van een moord. Zijn brute daad zou volgens een cultuursocioloog ingegeven zijn door zijn Turkse cultuur, waar eerwraak nog geldt. Iedereen zou het raar vinden als de moord op Pim Fortuyn door Volkert van der G. in 2002 zou worden verklaard door te wijzen op de gewelddadige kenmerken van de Nederlandse cultuur. Murat D. is van Turkse afkomst, dus is het volgens sommigen legitiem om de relatie te leggen tussen het misdrijf en zijn culturele achtergrond. Dat geldt ook voor de relatie tussen de moord op Theo van Gogh en het gewelddadige karakter van de islam.

Dit zwart-witdenken waarbij heel gemakkelijk valse causale verbanden worden gelegd tussen criminaliteit en culturele kenmerken van etnische bevolkingsgroepen, wordt ook vaker gemeengoed onder landelijke politici. Maxime Verhagen, de voorman van het CDA, zei nog in zijn nieuwjaarstoespraak van 2004 dat allochtonen de verkeerde lijsten aanvoeren op het gebied van onder meer criminaliteit. Was het tot voor kort zo dat de stijging van criminaliteit onder allochtone jongeren totaal genegeerd werd, nu is het tegenovergestelde het geval. Wanneer zich een incident voordoet met een allochtone jongere wordt de oorzaak van het misdragen gezocht in de cultuur van het land waar zijn ouders vandaan komen. Dat is het nieuwe politiek correcte denken. Niet alleen de cultuur van het land van herkomst krijgt ervan langs, maar ook de hulpverleners. Zo wordt hen vaak een softe aanpak verweten. Daarnaast zouden zij incompetent zijn en vaak de multiculturele drama's verbloemen. Dat laatste verwijt gold zeker, bij monde van minister Van der Hoeven van Onderwijs, meteen na het schietincident van Murat D. voor de directies van bijna alle scholen in Nederland.

Professionals in de hulpverlening zitten vaak met dilemma's. Aan de ene kant wordt ze een gebrek aan competent gedrag en daadkracht verweten, omdat ze de confrontatie uit de weg gaan. Zij zouden hun allochtone cliënten eens moeten vertellen wat ze echt van hen denken en vinden. Zo niet, dan leren ze de Nederlandse waarden en normen nooit kennen. Aan de andere kant moeten zij vanuit hun professie voorzichtig een vertrouwensband met hun allochtone cliënten opbouwen, anders maken ze nooit contact met hen. Zij kunnen dan niet alles vertellen of laten zien wat ze denken en vinden van de ander, omdat ze hun cliënten kunnen kwijtraken. Dit is een paradox die iedere hulpverlener herkent. Professioneel handelen veronderstelt een zekere afstand houden van je cliënten. Je kunt alleen een vertrouwensband opbouwen wanneer de afstand met de cliënten wordt overbrugd. Heel dichtbij komen bij de belevingswereld van je cliënt om hem of haar beter te begrijpen en tegelijkertijd afstand nemen om alles in een breder perspectief te zien is een hele kunst in de hulpverlening. Om zo'n contact te maken is meer nodig dan alleen flegmatisch temperament en culturele empathie.

Met hun handen in het haar vragen hulpverleners zich af wat ze verkeerd hebben gezegd of gedaan als de zoveelste allochtone jongere ontspoort. Wat hebben jongerenwerkers bijvoorbeeld in gesprek met 'hun' allochtone jongeren over het hoofd gezien? Hoe komt het dat sommigen dan toch nog afglijden in het criminele circuit? Moeten allochtonen op een andere manier worden benaderd? Zo ja, hoe dan? Waarom mislukt vaak de communicatie tussen autochtonen en allochtonen? Is er een methodiek voorhanden aan de hand waarvan de interculturele gespreksvoering kan worden verbeterd? Dit zijn vragen die zowel docenten als studenten Sociale Studies en ook de professionals in de hulpverlening, het onderwijs en de media dagelijks bezighouden. Niet zozeer het ultieme antwoord op deze vragen is het belangrijkste doel, maar de oorsprong van deze vragen. Dit boek wil daarom aan de hand van een aantal voorbeelden uit de praktijk en analyse met het brugmodel een licht werpen op de oorzaak van deze vragen en een aantal aanbevelingen doen op het gebied van interculturele gespreksvoering. Hulpverleners worden zo zelf een eindje op weg geholpen om een eigen antwoord te formuleren op hun eigen vragen op het gebied van interculturele communicatie.

Hypothese

Het boek start vanuit de hypothese dat de oorzaak van miscommunicatie tussen mensen van verschillende culturen te herleiden is tot het belang dat mensen hechten aan de inhoud en/of vorm van de boodschap op een continuüm. Op een glijdende schaal van 1 tot en met 7 vormt 4 de ideale middenweg (evenveel aandacht aan de inhoud als aan de vorm van de boodschap). Dat betekent dat de grootste misverstanden en irritaties plaatsvinden tussen twee gesprekspartners die op deze schaal de extreme scores halen (1 versus 7).

Inhoud — 1 — 2 — 3 — 4 — 5 — 6 — 7 — Vorm

Volgens Watzlawick (zie *De pragmatische aspecten van de menselijke communicatie*, 1974, p. 42) bestaat het wezen van communicatie uit zowel een betrekkingsniveau (= relatiegericht) als een inhoudsniveau (= informatiegericht). Het eerste niveau, dat vanwege de (onderlinge) relatie(s) tussen communicatiepartners de wijze van boodschapoverdracht beïnvloedt, valt hier onder de noemer 'vorm' (hoe wil ik de boodschap communiceren?). Het tweede niveau, dat we hier als 'inhoud' duiden, heeft puur te maken met de informatie die men wil overdragen (welke boodschap wil ik communiceren?).

Dat nadruk op de vorm of inhoud van de boodschap niet alleen tot misverstanden en irritaties kan leiden, maar ook tot heftige rellen bewijst de Deense cartoonrel begin 2006. De spotprenten over profeet Mohammed, waaronder een afbeelding van een Arabier met een tulband in de vorm van een bom, leidden tot zeer felle reacties onder sommige moslims. Door verschil in belang van inhoud of vorm en waarden-oriëntaties kunnen interpretaties van dezelfde communicatie-uiting sterk afwijken. Mensen die in de spotprent 'tulband-bom' de vorm belangrijker vinden, hechten in de regel meer waarde aan respect voor de ander. Daarom kunnen zij de boodschap als een persoonlijke belediging opvatten. Mensen die daarentegen meer belang hechten aan de inhoud vinden meestal vrijheid van meningsuiting waardevoller dan respect. Zij zijn geneigd om de 'tulband-bom' anders te interpreteren: extremisten misbruiken de profeet om bomaanslagen te plegen. (zie ook bijlage 7 'Ik kreeg een oorvijg van mijn vader toen ik hem wees op een getekende voorstelling van God').

In de praktijk passen we onze eigen positie en daarmee onze communicatie, hetzij bewust of onbewust, voortdurend aan degene aan die tegenover ons staat. Communiceren met een koningin of met je moeder maakt voor de meeste mensen een wereld van verschil uit. Met de eerste zul je een grote afstand ervaren waardoor de formaliteit van het gesprek hoog is. Met je moeder hebben de gesprekken in de regel een hoog informeel karakter. Aan je moeder durf je meer te laten zien. Tegen je moeder durf je ook meer te zeggen over wat je denkt en voelt dan wanneer je tegenover een majesteit staat (Noot: een lichte uitzondering hierop is de in 2004 overleden prinses Juliana. Zie bijlage 1: 'De hoofddoek van Juliana' op de voorpagina van dagblad *Trouw*, 30 maart 2004).

Hoe formeler een communicatie verloopt, hoe minder je je eigenlijke ik kunt laten zien. Hoe informeler, hoe meer je je ik kunt laten zien. In het contact met een majesteit is de vorm van de boodschap meestal belangrijker dan de inhoud zelf. We zouden kunnen concluderen dat de vorm van de boodschap meer aandacht krijgt naarmate de relaties voor wat betreft afhankelijkheid, macht en status tussen de gesprekspartners ongelijk zijn, zoals docent en student, directeur en medewerker. In het contact met je moeder (of je vader) is dat niet het geval (mag ik hopen), omdat het hier in de eerste plaats altijd gaat om een familierelatie. In de ideale situatie, die slechts een zeer kleine minderheid in de praktijk bereikt en dus voor de meerderheid slechts in (theoretische) verbeelding bestaat, vallen vorm en inhoud precies samen. De enkeling die deze ideale situatie wel bereikt, zoals Mahatma Gandhi (1869-1948), bevindt zich, wat mij betreft, in het laatste stadium van 'de ontwikkelingsstadia van het kind'. Dat is een theorie over de ontwikkeling van het moreel denken, volgens Kohlberg. (Zoek via google.nl naar Kohlbergs theorie van morele stadia.) In dit stadium zijn inhoud en vorm altijd in perfecte harmonie. Gandhi predikte niet alleen geweldloze communicatie, maar praktiseerde die ook. Met zowel te veel nadruk op òf inhoud òf op de vorm is de kans altijd groot dat je je communicatiepartner die de tegenovergestelde voorkeur heeft voor òf de inhoud òf vorm, imponeert, intimideert, irriteert of zelfs afschrikt.

Schematische weergave van het communicatieproces

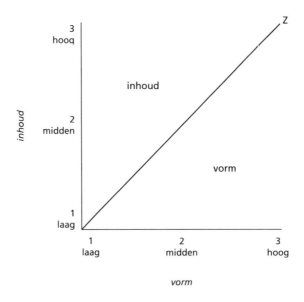

Het communicatieproces

A   Theorie (lijn Z): inhoud en vorm van boodschap zijn even belangrijk

B   Praktijk (onder of boven Z): inhoud en vorm van boodschap zijn niet even belangrijk. Onder de Z is vorm belangrijker. Boven de Z de inhoud.

Ad A Gevolg bij inhoud en vorm zijn even belangrijk: ideale communicatie, communicatie in evenwicht (kenmerk: in het contact tussen de sprekers is de verhouding tussen afstand en empathie in de juiste balans)

Ad B Gevolgen bij inhoud en vorm zijn niet even belangrijk:

1   Inhoud is belangrijker dan vorm (boven de Z-lijn): informaliteit hoog (kenmerken: afstand tussen sprekers klein, onderlinge verschillen klein, vertrouwen hoog, ontspanning hoog, eigen mening hoog)

2   Vorm is belangrijker dan inhoud (onder de Z-lijn): formali-
       teit hoog (kenmerken: afstand tussen sprekers groot, onder-
       linge verschillen groot, vertrouwen laag, ontspanning laag,
       eigen mening laag)

In het groot geldt dit communicatieproces ook voor culturen. Ik
noem de culturen waar de inhoud van de boodschap op een glijdende schaal belangrijker en dus dominanter is dan de vorm, hier
actieve culturen. Culturen waar men meer waarde hecht aan de
vorm van de boodschap dan aan de inhoud, noem ik hier passieve culturen.

Aan verschillen tussen actief en passief liggen grofweg twee verschillende visies op het bereiken van vrijheid en geluk ten grondslag. Volgens de stoïcijnse visie kun je alleen vrij en gelukkig zijn
als je in vrede leeft met datgene wat je overkomt, je lot. Dat bereik
je het beste door in rust, harmonie en stilte met je omgeving te leven. Dat leidt tot een ideaal van passiviteit (zie ook *De grote vragen: inleiding in de westerse filosofie*, Donald Pulmer, 2001, p. 232).
De existentialistische visie die daar haaks op staat, werd verwoord
door Jean-Paul Sartre (1905-1980). Hij zei dat je te allen tijde en
overal vrij bent om actief inhoud en richting te geven aan je eigen leven. Dat bereik je door verantwoordelijkheid te accepteren
bij je (opgelegde) vrijheid (je kunt namelijk niet niet vrij zijn).
Kortom: bij passief past acceptatie van je lot (je lot bepaalt wat je
wilt) en bij actief past acceptatie van je verantwoordelijkheid (je
bepaalt je eigen lot). Het ideaal van de passiviteit geniet de voorkeur bij de meeste oosterse culturen en staat haaks op het westerse ideaal van zelfverwezenlijking. In hoofdstuk 4 zal ik het uitgebreid hebben over andere waarden en specifieke kenmerken van
passieve en actieve culturen.

Het belang dat men hecht aan de vorm en/of inhoud leidt vanzelfsprekend tot een actieve of passieve houding. Deze houding
heeft gevolgen voor het verloop van de interculturele communicatie. Zo leidt een gesprek tussen twee individuen van wie de een
uit een zeer actieve cultuur afkomstig is en de ander uit een zeer
passieve cultuur, altijd tot irritaties, onbegrip, botsingen en zelfs
ruzies. In dit boek wordt met voorbeelden uit de praktijk duidelijk
gemaakt hoe men zulke misverstanden in de interculturele gespreksvoering kan voorkomen.

Hoofdvragen

De volgende drie hoofdvragen staan centraal in dit boek:

▷ Waarin onderscheiden actieve en passieve culturen zich op het gebied van interculturele communicatie? (hoofdstuk 1 en 2)

Om deze vraag te kunnen beantwoorden wordt hier vooral gekeken naar de oorsprong en betekenis van de kernwaarden van deze twee cultuurtypen.

▷ Na het antwoord op de eerste vraag volgt de tweede vraag: Welke gevolgen hebben cultuurverschillen in actieve en passieve houding voor de interculturele gespreksvoering? (hoofdstuk 3 en 4)

Hier wordt gekeken naar hoe de concrete invulling van deze kernwaarden in de praktijk invloed hebben op het verloop van de communicatie.

▷ Na beantwoording van de tweede vraag volgt de derde vraag: Welke methodes kan men hanteren om de cultuurbepaalde communicatie te verbeteren? (hoofdstuk 5 en 6)

Welke invloed houding heeft op cultuurbepaalde communicatie wordt hier uitgelicht.
Daarna wordt uitgelegd op welke manier(en) interculturele gespreksvoering kan worden verbeterd.

De bronnen en onderzoeksmethodieken die ik heb gebruikt, zijn net zo divers als de hoofdvragen. Ze beginnen algemeen en eindigen concreet. Met behulp van literatuurstudie, eigen (werk)ervaringen, observaties, het volgen van debatten over de multiculturele samenleving in de afgelopen twintig jaar, bestudering van meer dan honderd casussen uit de hulpverlening en practica met studenten, die onder meer bestaan uit een enquête onder 61 studenten en 32 deeltijdstudenten die in de hulpverlening werken, worden deze drie hoofdvragen beantwoord. De beantwoording van deze vragen geeft inzicht in de werking van de cultuurbepaalde communicatie in theorie en praktijk.

Opzet van het boek

Het boek bestaat uit 7 hoofdstukken.

In het eerste hoofdstuk wordt het verschijnsel beeldvorming onder de loep genomen. Eerst wordt beeldvorming in een historisch perspectief geplaatst. Daarna wordt gekeken naar de invloed van de hedendaagse media op het beeld dat we vormen van verschillende doelgroepen.

In het tweede hoofdstuk staat het begrip cultuur centraal. Niet alleen volgt een uitleg wat cultuurdeskundigen onder cultuur verstaan en welke betekenis mensen in het dagelijkse leven daaraan geven, maar ook welke invloed cultuur heeft op de ontwikkeling van onze identiteit.

In het derde hoofdstuk wordt beschreven wat communicatie precies inhoudt en wordt de relatie tussen communicatie met cultuur en taal belicht.

In het vierde hoofdstuk wordt een aantal modellen op het gebied van interculturele communicatie gepresenteerd. De titel van het boek, cultuurbepaalde communicatie, wordt hier ook nader toegelicht. Tevens wordt er kritisch gekeken naar de manieren van een aantal deskundigen om mensen wegwijs te maken in de complexe wereld van de interculturele communicatie. De cultuurverschillen tussen passieve en actieve culturen worden besproken aan de hand van de resultaten van een enquête onder 93 studenten. Daarbij wordt nagegaan welke invloeden deze cultuurverschillen kunnen hebben op het verloop van cultuurbepaalde communicatie.

In het vijfde hoofdstuk wordt uitgebreid stilgestaan bij de invloed die een actieve of passieve houding kan hebben op de interculturele gespreksvoering. Ook wordt hier aandacht gegeven aan de voorwaarden van een geslaagde cultuurbepaalde communicatie.

In het zesde hoofdstuk volgt de introductie van het brugmodel waarden en belangen (afgekort als W & B), waarna een uitwerking volgt van zes casussen. Via deze casussen wordt duidelijk hoe het

brugmodel een verschil kan maken in de interculturele gespreksvoering.

In het zevende hoofdstuk volgt een kritische reflectie op de on-
dertitel van het boek, 'De waarden en belangen van passieve en
actieve culturen', en het gebruik van het brugmodel W & B.

In dit boek zijn tevens acht interculturele dialogen opgenomen.
Ze zijn onder de naam 'Youssef op Maandag' verschenen in het
Brabants Dagblad in de periode van juli 2002 tot oktober 2003. Zij
dienen ter lering ende vermaak.

Inleiding: De extreme standpunten van mono's versus multiculti's

De vraag waarom de ene samenleving zich makkelijker en in een rap tempo verder lijkt te ontwikkelen en de andere niet, houdt de mensheid al eeuwen bezig. Wetenschappers die geprobeerd hebben hierop een antwoord te formuleren, doen dat niet zonder risico zichzelf te verliezen in een van de twee extreme standpunten die binnen het spectrum ook nog eens tegenovergesteld zijn aan elkaar. Het eerste extreme standpunt verklaart de verschillen tussen mensen altijd door te kijken naar wat op het eerste gezicht opvalt: de buitenkant. Deze kijk kan letterlijk slechts slaan op de huidskleur van de mens. En die leidt weer gemakkelijk tot het ontwikkelen en verkondigen van de omstreden rassenleer.

Soms slaat deze buitenkant op de natuurlijke omgeving waarin verschillende rassen leven. Zo heeft de Amerikaanse hoogleraar Jared Diamond een simpele oorzaak gevonden op de vraag waarom bijvoorbeeld Mexicaanse indianen de wereld nooit hebben veroverd. In tegenstelling tot de witte Euraziaten hebben zij het niet getroffen met hun natuurlijke omgeving, zoals geografie, flora en fauna (zie artikel 'Blanke mazzel en zwarte pech', *de Volkskrant* van 14 oktober 2000 en het tijdschrift *Internationale Samenwerking*, oktober 2004, pagina 37-39). Met zijn theorie herhaalt hij ongeveer wat de Arabieren in de Middeleeuwen verkondigden over de achterlijkheid van de Europeanen (zie ook hoofdstuk 1 Historische vooroordelen).

We nemen hier als voorbeeld voor de 'buitenkant' de culturele factoren. Het standpunt behelst dan het zodanig benadrukken van (cultuur)verschillen tussen *wij* en *zij* dat er altijd sprake is van superioriteit of beschaving van de wij-groep en inferioriteit en achterlijkheid van de zij-groep. Hierdoor worden de heersende opvattingen en stereotype beelden van de *eigen* groep ten opzichte van de andere groepen opnieuw bevestigd. Vaak gaat het hier om processen van *self-fulfilling prophecies*: als bijvoorbeeld een moslim een moord pleegt dan wordt dat gevoed door het gewelddadige karakter van de islam. Dus zijn alle moslims gewelddadig is de redenering van dit extreme standpunt.

Het tweede extreme standpunt van het spectrum wijst alle verklaringen die gebaseerd zijn op verschillen tussen culturen of etniciteit resoluut van de hand. Het gaat ervan uit dat er geen verschillen kunnen bestaan tussen de binnenkant van de mensen, omdat ieder mens op zichzelf uniek is. Daarom moeten we zeer bescheiden zijn met het bekritiseren van andersdenkenden. Onder het mom van 'alle mensen zijn gelijk' wordt critici, die wel degelijk verschillen ontdekken en ervaren tussen mensen van diverse culturen, de mond gesnoerd. Zo is een moslim die een moord pleegt altijd een idioot of een gek en handelt hij in strijd met de geest van de islam. Dit, terwijl dezelfde moordenaar zich laat inspireren door de koran, waarin men oproept tot een jihad tegen ongelovigen. Mensen die welk geloof dan ook misbruiken zijn altijd idioten en barbaren is de redenering van dit extreme standpunt.

Op deze wijze treffen wij aan de ene extreme kant van het spectrum de zeer vooringenomen, soms arrogante, wetenschappers of zelfbenoemde '(ervaring)deskundigen' aan. Mensen die niets anders doen dan vooroordelen en negatieve attitudes ten opzichte van andersdenkenden (her)bevestigen of aanwakkeren. Een voorbeeld daarvan is de monoculturalist Paul Cliteur. In zijn boek *De moderne Papoea's* schaart hij zich achter de stelling dat de westerse cultuur superieur is. Volgens hem moeten daarom niet-westerlingen hier hun etnische cultuur van zich afschudden en onmiddellijk assimileren. Mensen zoals Cliteur, die zulke stellige standpunten huldigen, worden vaak beschuldigd van demagogie, generalisaties, simplificaties, discriminatie of zelfs racisme.

Dialoog 1: Achterlijke cultuur

Mustafa: *Ik word boos als iemand roept dat de islam een achterlijke cultuur is.*

Ali: *Het heeft geen zin om daarbij stil te staan, want stilstand leidt tot achteruitgang.*

Mustafa: *Om vooruit te komen moeten we ons wel kritische vragen stellen. Ik wil weten waarom sommigen op de televisie roepen dat de islam achterlijk is.*

Ali: *Dat heeft natuurlijk met onwetendheid te maken.*

Mustafa: *Dus moeten we ze nog meer vertellen over de islam?*

Ali: *Nee, we moeten ze leren hoe ze Arabisch moeten lezen.*

Mustafa: *Hoezo?*

Ali: *Het Arabisch lees je van rechts naar links. Mensen die dat niet weten lezen de Koran achterstevoren. Daardoor krijg je wel een achterlijk beeld!*

Pogingen van aanhangers van het monoculturalisme om de oorzaken van achterstanden van bepaalde groepen mensen te zoeken in bepaalde (uiterlijke) kenmerken, zoals huidskleur, religie, taal of moraal zijn altijd gedoemd te mislukken. Dat hebben we in het verleden al zo vaak gezien. Indische Nederlanders die na hun repatriëring naar Nederland gedwongen werden te assimileren, door de tactiek van de gedwongen spreiding, hebben hieraan trauma's overgehouden. Niet alleen de oudere Indische Nederlander denkt met weemoed aan *tempo dulu*, vroeger, maar ook de jongste generatie. Cultuur is geen jas die je zomaar aan een kapstok kunt ophangen. Bovendien is de mens meer dan een optelsom van wat aan de buitenkant is te zien. De mens is geen slaaf van zijn cultuur. Het monoculturalisme geeft een zeer fundamentalistische uitleg aan begrippen als cultuur en loyaliteit. Volgens deze uitleg moeten allochtone jongeren die in een loyaliteitsconflict komen, kiezen voor de een of de ander. Volgens hen is het hebben van meer loyaliteiten, bijvoorbeeld jegens je vrouw, kinderen, familie, vrienden, collega's of de Nederlandse staat niet mogelijk. Zij streven juist naar een 'eenheidsworstcultuur' (zie bijlage 2: opiniestuk in *NRC Handelsblad* over identiteit en loyaliteit, getiteld 'Moslims kunnen een voorbeeld nemen aan Claus', 14 oktober 2002).

Aan de andere extreme kant van het spectrum bevindt zich de groep van de zeer politiekcorrecte multiculti's. Deze groep heeft ook aanhangers onder enkele gerespecteerde wetenschappers die de werkelijkheid van vandaag enigszins geweld aandoen door de zegeningen van de multiculturele samenleving te veel te idealiseren of daarover te overdrijven. Een voorbeeld daarvan is W.A. Shadid. In zijn boek *Grondslagen van interculturele communicatie* verwijt hij pioniers op het gebied van interculturele communicatie in Nederland, zoals Hofstede, onverantwoorde generalisaties (Shadid, p. 159 en 239). Bovendien twijfelt hij aan de validiteit van hun theorieën die meestal uitgaan van dichotomie of categorieën van cultuurtypen. Multiculturalisten zoals Shadid hameren, in navolging van het cultuurrelativisme, voortdurend op het feit dat alle culturen gelijk zijn (p. 35). Om dit te illustreren vergelijkt Shadid culturen met talen. In theorie is dit uitgangspunt zeker een nobel streven. Het geeft echter geen antwoord op de vraag hoe het komt dat in de praktijk sommige culturen zich verder ontwikkelen op het gebied van onder meer wetenschap en techniek en andere culturen, door de eeuwen heen, nauwelijks blijken te veranderen en soms zelfs bedreigd worden in hun bestaan zoals indianenstammen in het Amazonegebied.

Op dit moment is het vooral de dominante blanke westerse cultuur die op zowel wetenschappelijk, economisch als militair gebied over de wereld heerst. Strenggelovige multiculturalisten zijn vaak zo geobsedeerd om niet te discrimineren dat ze dat juist, onbewust, wel voortdurend doen. Iedereen in zijn waarde laten is een prima afspraak. Als daardoor echter niemand durft te vragen naar de oorsprong van vreemd gedrag van een ander, omdat men bang is om te discrimineren dan leert men ook niets van elkaar. Daardoor ontstaat er geen echt contact, laat staan uitwisseling of dialoog. Soms worden de aanhangers van het multiculturalisme een gebrek aan realiteitszin en een teveel aan betutteling van vreemdelingen of allochtonen verweten. Door dit gedrag houden ze, onbedoeld, alle ontwikkeling naar vooruitgang tegen onder het mom van 'integratie met behoud van eigen identiteit'. Dat dit streven een contradictio in terminis is, lijkt sommige idealisten te ontgaan. Zo zijn er nog steeds wetenschappers die het betreuren dat bedoeïenen niet meer rondzwerven met hun kamelen en in tentjes wonen, maar gewoon in een jeep rijden en in een huis wonen. Hun idee van de 'nobele wilde', de mens die nog niet bedorven is door moderniteit en zich vooral laat leiden door zijn gevoelens en instincten en die de Franse filosoof Jean Jacques Rousseau (1712-1778) zo erg waardeerde, valt hierdoor aan diggelen.

Van een passieve naar een actieve houding

Los van de vraag of de beschuldigingen aan deze twee typen (mono's en multiculti's) terecht dan wel onterecht zijn, is de vraag waarom groepen mensen van elkaar verschillen in hun ontwikkeling tot de dag van vandaag zeer actueel. We staan er niet elke dag bij stil, maar dat we het hier in bijna alles beter hebben dan mensen in bijvoorbeeld derdewereldlanden zoals Ethiopië of Bangladesh staat buiten kijf. Meestal ervaren we onze bevoorrechte positie in het Westen als iets vanzelfsprekends. Natuurlijk is er bijvoorbeeld vrijheid en genoeg te eten in Nederland. Wie echter probeert zich actief te ontworstelen van de eigen cocon van vanzelfsprekendheden door een reis te maken naar een derdewereldland, krijgt vroeg of laat een nieuwe kijk op de wereld. Hij of zij zal zich daar bewuster worden van de waarde en belangen van de eigen cultuur doordat men zichzelf als een vreemdeling beschouwt. Dat geldt ook voor mensen die hun vaderland verlaten en elders als een minderheidsgroep een nieuw bestaan opbouwen, zoals de Marokkaanse immigranten in Nederland. Ook zij zullen niet kunnen ontkomen aan de invloed van de dominante cultuur op bijvoorbeeld verandering van hun taal en cultuur. Hierna volgt een voorbeeld van hoe een etnische minderheid, Marokkanen in Nederland, in de loop van de tijd van houding verandert. In dit geval van een passieve naar een actieve houding. Deze ommezwaai in de houding wordt verderop in de tekst met een voorbeeld geïllustreerd.

Tien jaar geleden deed ik onderzoek naar Nederlandse leenwoorden in het Marokkaans Arabisch. De belangrijkste conclusie van mijn studie was dat Marokkanen in Nederland meer Nederlandse woorden overnamen naarmate de gesprekken in het Marokkaans Arabisch informeler werden. Dit vond plaats op het gebied van werk, sociale zekerheidsstelsel, gezondheidszorg en onderwijs, zoals snipperdag, uitkering, ziekenfonds en stage. Na al die jaren is mij een opvallend woord bijgebleven: afspraak. De overname van dit woord is niet alleen fonologisch aangepast aan het Marokkaans Arabisch, maar ook in sociaal-cultureel opzicht overgenomen in de Marokkaans islamitische cultuur. Met het structureel lenen van dit woord hebben Marokkanen zich een stukje Nederlandse cultuur eigen gemaakt, waarbij omgang met sociale relaties een nieuwe dimensie heeft gekregen.

Dialoog 2: Thuistaal

Tweede-Kamerlid: *Zo, zo! Je bent dus in Nederland geboren. Ken je het Arabisch nog wel?*

Leerling: *Ja, ik kan het wel lezen.*

Tweede-Kamerlid: *Zeker van je ouders geleerd?*

Leerling: *Nee, op school tijdens lessen in eigen taal.*

Tweede-Kamerlid: *Nou kun je zeker nog beter met je ouders praten?*

Leerling: *Nee, die praten geen Arabisch tegen me.*

Tweede-Kamerlid: *Goed zo! Dat zijn nog eens model-Marokkanen. Ze praten thuis Nederlands. Zo hoort dat.*

Leerling: *Nee, mijn ouders spreken thuis geen Nederlands, maar Berbers.*

Tweede-Kamerlid: *Wat is het verschil tussen het Arabisch en het Berbers?*

Leerling: *Berbers heb ik thuis geleerd en Arabisch op school.*

De mentaliteit van *inscha Allah*, als God het wil, is nog altijd immens populair onder Marokkaanse moslims als ze beloven elkaar eens te treffen. Tegenwoordig geven echter steeds meer moslims in Nederland er de voorkeur aan om met elkaar exact de tijd af te spreken in plaats van het aan het toeval van Allah over te laten. Dit is heel bijzonder omdat men binnen de Marokkaanse cultuur niet gewend is om van tevoren een bepaalde tijd af te spreken of op tijd te komen. Je weet tenslotte nooit wat er morgen met je gaat gebeuren. Het lot ligt immers in Allah's handen. Met deze ommezwaai van passief ondergaan van een afspraak naar het actief afspreken met elkaar heeft men een belangrijke stap gezet in het bepalen van het eigen lot. Dit tijdbesef maakt dat de verantwoordelijkheid bij de handelende persoon, het individu, zelf komt te liggen. Dit verschijnsel is, ingegeven door het geloof in het individualisme, een typisch westers kenmerk te noemen dat past bij een actieve cultuur. Individualisme moedigt mensen aan om het lot zelf te bepalen, terwijl het collectivisme mensen stimuleert om juist hun lot toe te vertrouwen aan de gemeenschap of aan hogerhand.

Het ondergaan van wat er in de omgeving gebeurt en zich helemaal overgeven aan de bovennatuurlijke krachten of het Opperwezen is een kenmerk van een passieve houding die eigen is aan de oorspronkelijke, dat is de Marokkaanse, cultuur. Het zelf initiatief nemen om de levensrichting te bepalen, het geloof in eigen kracht, hoort thuis in een actieve houding van de eigen cultuur.

Het verschil in deze houding kan op den duur zelfs leiden tot lichamelijke of psychische klachten die eigen zijn aan een actieve of passieve cultuur. Zo is werkstress vaker te vinden in een gemeenschap waar een actieve cultuur dominant is.

Het eerste wat leden van een passieve cultuur opvalt aan de actieve cultuur is gehaastheid en onrust. In de ogen van een Marokkaanse studente (zie radio-uitzending NPS, 747 AM, 6 juli 2004), die voor het eerst kennismaakt met Nederland, 'rent iedereen gehaast over de straat'. Volgens haar zou het goed zijn als Nederlanders meer tijd en rust zouden nemen voor de dingen die ze zeggen en doen, zoals zij dat in Marokko gewend is. Omgekeerd geldt dat het eerste wat leden van een actieve cultuur opvalt aan de passieve cultuur traagheid en rust is. Daar wordt alles uitgesteld naar morgen. Denk aan de organisatie van de Olympische Spelen van 2004 door Griekenland, waar de passieve cultuur dominant is. Hoewel de Grieken bekend staan als harde werkers nemen ze wel alle tijd om ook rustig te genieten van hun leven.

Een aantal psychische klachten dat in de passieve cultuur bijvoorbeeld wordt veroorzaakt door het niet (direct) bespreken van bepaalde taboes, het psychische ziek zijn wijten aan de natuurkrachten van de onzichtbare wereld, zoals de boze geesten, of uiteindelijk niet de daad bij het woord voegen, wordt in het Westen vaak snel bestempeld als hypocriet gedrag, paranoïde of het hebben van een dubbele persoonlijkheid. Westerse hulpverleners in de grote Nederlandse steden, waar het percentage allochtonen om en nabij de helft ligt, vinden het nog steeds lastig om een juiste diagnose te stellen van allochtone cliënten. Op 27 februari 1998 constateerde Ronald May, als coördinator (zelf van Surinaamse afkomst) van allochtonen in de Haagse Geestelijke Gezondheidszorg (GGZ) in het artikel van de Volkskrant getiteld 'Psychiater weet weinig van allochtoon', dat Surinamers en Marokkanen gemiddeld bijna vijf keer vaker dan Nederlandse patiënten als schizofreen worden gediagnosticeerd. May: *'Vrijwel over de hele wereld zie je dat allochtone mensen vaker schizofreen worden genoemd, wat volgens mij een enorme mismatch is. Er is een heel groot wit-zwartverschil waar de westerse psychologie niet doorheen kan kijken.'*

Boodschap van het boek

Dit boek start vanuit de hypothese dat westerse en oosterse culturen in het algemeen en stedelijke en plattelandsculturen in het bijzonder, puur vanwege hun afstand van de natuur, vanuit hun filosofische of religieuze kernwaarde in belangrijke mate bijdragen aan een actieve of passieve houding van hun cultuurdragers. Er is sprake van een actieve houding wanneer je zoveel mogelijk handelt naar wat je zegt en een passieve houding wanneer de intentie van wat je zegt belangrijker is dan of je ernaar handelt. Kortom: bij een actieve houding is de daad bij het woord voegen belangrijker dan de intentie en bij een passieve houding is dat precies omgekeerd.

Deze houding wordt beïnvloed door het belang dat je hecht aan de inhoud of vorm van de boodschap. Aan deze actieve en passieve houding ligt een aantal cultuurverschillen ten grondslag.

De ontstaansgeschiedenis van cultuurverschillen kan, in metaforische zin, heel goed worden verklaard aan de hand van de drie grote Griekse filosofen. Socrates (469-399 v.C.) was een verteller, symbool voor de oudste culturen die vooral worden gekenmerkt door orale tradities. Plato (427-347 v.C.) was zijn leerling, een duidelijk actief lid van de geschreven Griekse cultuur. Aristoteles (384-322 v.C.) was behalve een schrijver ook een wetenschappelijk onderzoeker. Het verschil tussen de essentie van oosterse en westerse culturen is te projecteren op de laatste twee filosofen. Terwijl Plato met zijn volle verstand nog geloofde in een bovennatuurlijke wereld (zie grotverhaal Plato: www.arsfloreat.nl, Plato - Mythe van de grot), laten we het de onzichtbare wereld noemen, hield Aristoteles zich vooral bezig met de zichtbare wereld. Voor Plato was de werkelijkheid om ons heen slechts een kopie van de echte werkelijkheid. Voor Aristoteles was de wereld waarin we leven de echte wereld.

Een beeld dat dit verschil perfect illustreert is Rafaëls fresco (op internet via www.wga.hu/ zoeken naar 'Raffaello', 'Decoration of the Stanze in the Palazzi Pontifici, Vatican' en 'Stanza della Segnatura: The School of Athens'). Hier zien we dat Plato met zijn wijsvinger naar de hemel wijst, terwijl Aristoteles met zijn handpalm naar de aarde wijst. Zo bezien zouden we de oosterse cultu-

ren nu 'Plato-georiënteerd' kunnen noemen en de westerse culturen meer 'Aristoteles-georiënteerd'.

De begrippen oosterse en westerse culturen worden in dit boek in
ruime zin opgevat. Ze worden dus niet begrensd door de oosterse
of westerse wereld, maar hebben betrekking op de mentaliteit die
oosters dominant of westers dominant is. Daardoor zijn deze twee
begrippen in principe van toepassing op alle culturen van de wereld. Zo domineert er in Suriname de mentaliteit van een oosterse cultuur en in Singapore de westerse cultuur. Daar waar het gaat
om Plato-georiënteerde culturen spreken we van oosterse culturen
en daar waar het gaat om Aristoteles-georiënteerde culturen spreken we van westerse culturen.

In de oosterse wereld hebben verhalen die zich afspelen in grot-
ten, zoals het grotverhaal van Plato, bijna altijd een spirituele lading. Kijken we bijvoorbeeld naar de ontstaansgeschiedenis van
de islam dan zien we dat de profeet Mohammed zijn eerste goddelijke inspiratie in een grot ontving (koran: soera 96). Om bij te
komen van het hectische en harde bestaan in Mekka had hij de
gewoonte zich in een grot terug te trekken om daar te mediteren.
Hij zou volgens de overlevering een ongeletterde zijn die zijn goddelijke openbaring via engel Gabriël in de grot ontving. Moham-
meds pleegzoon Zayd, die later zijn secretaris werd, stelde pas later de openbaringen op schrift. Ondanks dat Arabische culturen
een geschreven traditie kennen, hebben de orale tradities altijd
een voorkeur gehad. Kijk maar naar bijvoorbeeld de waardering
die dichters nog tot vandaag de dag hebben boven de roman-
schrijvers in de Arabische wereld. Dit zien we ook terug in de
Aziatische wereld. Een dichter die niet goed weet voor te dragen
is in de oosterse culturen waardeloos, terwijl in de westerse culturen het vooral gaat om het geschreven woord.

Terwijl men in de westerse culturen over het algemeen meer belang hecht aan de inhoud van de boodschap, hecht men in de
oosterse culturen meer aan de vorm. De mate van activiteit of
passiviteit van een culturele setting is afhankelijk van de waarde
die men hecht aan de inhoud of de vorm van een boodschap. In
hoeverre een setting passief dan wel actief is, komt tot uiting in
de waarde die men hecht aan rituelen en tradities, het belang dat

men hecht aan hiërarchische structuren of autoriteit en aan het beantwoorden van gesloten vragen met 'ja' of 'nee'.

Denk bijvoorbeeld aan het bijbelse verhaal (Mattheus 21:28-31), waarin de vader zijn twee zoons opdraagt in de wijngaard te werken. De eerste zoon zei *'ja, heer'* (tot vreugde van pa) maar hij ging niet. De tweede zoon zei botweg *'nee, ik wil niet'* (tot verdriet van pa), maar krijgt later spijt en doet toch wat de vader wil. Vervolgens wordt de bijbelse vraag *'wie van de twee heeft de wil van zijn vader gedaan?'* beantwoord met de tweede zoon. Volgens Hans Kaldenbach (*Cultuurverschillen op de werkplek*, 1998, p. 41) prefereren Nederlandse vaders de tweede zoon, want die doet tenminste het werk. Daarentegen zouden Indonesische vaders op de vraag *'welke zoon respecteert de vaders wil?'* beantwoorden met de eerste zoon (Uit: *Allemaal andersdenkenden*, Geert Hofstede, 2000, p. 80). Ondanks dat onze waarden, zoals eerlijkheid en respect vaak rechtstreeks uit de bijbel of de koran komen, heeft het verschil in voorkeur van de Indonesische en Nederlandse vader voor de eerste of tweede zoon hier niets te maken met hun religieuze overtuiging. Het heeft meer te maken met de heersende beleefdheidsrituelen, fatsoens- en omgangsregels die van vader op zoon worden doorgegeven.

Hoewel de meeste Indonesische vaders moslims zijn en Indonesië het grootste moslimland ter wereld is, behoort de *adat*, de gewoonte, om ja te zeggen maar nee te doen niet tot de kernwaarde van de moslimcultuur. In de koran (soera 61: vers 2-4) neemt God duidelijk stelling in dit bijbelse verhaal. Eerst wordt een retorische vraag gesteld, die gevolgd wordt met een gebod: *'O gij, die gelooft, waarom zegt gij hetgeen gij niet doet? Het is afkeurenswaardig bij Allah dat gij zegt hetgeen gij niet doet.'*

Het verschil in voorkeuren voor het gedrag van de twee zoons kan vanuit twee gezichtspunten worden verklaard. Bezien door de ogen van de Indonesische vader heeft het vooral te maken met het belang dat hij als hoofd van de familie hecht aan de beleefdheidsrituelen, ook al zijn ze niet gemeend en soms nep. Bezien vanuit de Nederlandse vader heeft het te maken met het belang dat hij hecht aan eerlijkheid, ook al is die vaak lelijk en kwetsend. Beide vaders willen op hun eigen manier respect verwerven, maar hun verschillende belangen bepalen de mate van politiekcorrectheid. Op een schaal van politiekcorrect gedrag, die varieert van 1 (zeer laag) tot 5 (zeer hoog), scoort de eerste zoon zeer hoog (zegt puur uit beleefdheid 'ja') en de tweede zoon (zegt meteen wat hij denkt 'nee') zeer laag.

Daar waar politiek correct gedrag wordt aangemoedigd heersen de 'passieve culturen' en daar waar het juist wordt ontmoedigd heersen de 'actieve culturen'. Ik heb expres gekozen voor 'passief' en 'actief' om de afstand tussen woord (dat wat je zegt) en daad (dat wat je werkelijk denkt of doet) te markeren. Terwijl in passieve culturen woorden meestal bij woorden blijven, in extreme gevallen holle frasen of retoriek genoemd, sluiten in actieve culturen woorden meestal wel aan bij de daden, in extreme gevallen worden de leden ervan beschuldigd van botheid, starheid en rechtlijnigheid.

Het bijbelcitaat *'Hij zei ja! Maar hij ging niet!'* illustreert perfect het verschil tussen opgroeien in een actieve of passieve cultuur. De tweede zoon is lid van de actieve cultuur. Hij zoekt de confrontatie op: het antwoord is eerlijk, direct en hij is niet bang voor de autoriteit, zijn vader of de gevolgen van zijn eerlijkheid. De eerste zoon komt voort uit een passieve cultuur. Hij wil juist graag de harmonie tussen hem en zijn vader bewaren, dus is een intentie uitspreken belangrijker dan het uitvoeren: hij vindt eerlijkheid ondergeschikt aan respect en beleefdheid voor zijn vader, want een 'nee' zeggen zou leiden tot gezichtsverlies. Daarom zegt hij 'ja', maar doet niet wat hij zegt. Deze constatering sluit aan bij een generaliserende uitspraak dat een westerling niet liegt en een oosterling niet grieft (uit: *Internationale samenwerking*, nummer 4, 1993, p. 8). Dat de tweede zoon in dit verhaal uiteindelijk spijt krijgt en de klus wel klaart, doet hier niet terzake. In theorie zou de eerste zoon vroeg of laat ook spijt kunnen krijgen. Bovendien is er een alternatief voor hun gedrag. Via een dialoog komen tot een compromis tussen vader en zoon en nadere uitleg geven van een 'nee', waarbij de twee waarden respect (voor de vader) en eerlijkheid in evenwicht komen te staan. Een 'derde zoon' zou kunnen zeggen: 'Het komt me nu niet zo goed uit, pa, want ik moet van ma water halen.' Eventueel gevolgd met: 'Mag ik later in de wijngaard werken, pa?' Nu is de vader aan zet. Kenmerkend voor een dialoog is dat zowel de zoon als de vader water bij de wijn doen.

Overigens laat ik de vraag wat voor de ontwikkeling van de mens beter is om in te leven, een passieve of actieve cultuur, buiten beschouwing, omdat deze vraag een wel erg hoog normatief karaktergehalte heeft. Zowel de bijbel als de koran kiest trouwens voor de tweede zoon, omdat hij uiteindelijk zijn vader respecteert door zijn wil, bij nader inzien, wel uit te voeren. Ik geef hier zelf de voorkeur aan de derde zoon.

Daarom kies ik ervoor om de verschillen tussen deze twee type culturen, die je op een glijdende schaal kunt situeren, en de consequenties voor de communicatie te beschrijven en te analyseren. De eerste en tweede zoon vertegenwoordigen voor mij de uiteinden van de passieve en actieve cultuur. Ze staan aan het begin en aan het einde van de schaal. De derde zoon zit daar precies tussenin (zie het schema).

Eerste zoon	Derde zoon	Tweede zoon
Harmonie (lid passieve cultuur)	Dialoog (lid beide culturen)	Confrontatie (lid actieve cultuur)

In de praktijk kunnen mensen natuurlijk op verschillende golflengtes gaan zitten. Dat hangt ook af aan de afweging die ze uiteindelijk maken voor het geven van een voorkeur aan de aangehangen waarden of belangen. Afhankelijk van de situatie kunnen mensen zelfs in een gespreksbeurt de ene keer kenmerken vertonen van een passieve cultuur (zoals indirecte communicatie en afwachtende houding) en de andere keer juist van een actieve cultuur (zoals directe communicatie en doelgericht werken). Dat wisselen tussen kenmerken van passieve en actieve culturen kan alleen als er sprake is van een continuüm. Dit gedrag heeft consequenties voor de communicatie.

De hoofddoelen van de beantwoording van de centrale vraag

De centrale vraag luidt: waarin onderscheiden actieve culturen zich van passieve culturen op het gebied van interculturele communicatie? Met de beantwoording van deze eerste hoofdvraag, waarbij aan de hand van een aantal vragen de passieve en actieve culturen nader worden toegelicht, wil ik met dit boek twee hoofddoelen bereiken.

▷ Ten eerste wil ik de belangrijkste specifieke kenmerken of indicatoren van passieve en actieve culturen in kaart brengen.

▷ Ten tweede ga ik in op de gevolgen die cultuurverschillen in een actieve of passieve houding kunnen hebben op de *interculturele gespreksvoering*.

In dit boek versta ik onder *interculturele gespreksvoering* een dialoog tussen minimaal twee mensen van verschillende *culturele setting*. In dit boek wordt deze setting niet begrensd door landen met een vlag (nationaliteiten) of uiterlijkheden, zoals raskenmerken, maar door visie op de wereld. De visie wordt op haar beurt weer beïnvloed door houding. De houding zelf wordt weer beïnvloed door kennis, vaardigheden en ervaring.

Ik versta in dit boek onder de *culturele setting* alles wat een groep mensen met gemeenschappelijke culturele wortels, zoals afkomst, taal, geschiedenis en ideologie bindt, waarbij mensen op een gedeeld referentiekader bijna dezelfde antwoorden geven op de drie levensvragen:

1 Waarin geloven wij? (waarden, idealen, denkbeelden en opvattingen)
2 Hoe willen we met elkaar omgaan? (afspraken, normen en rituelen)
3 Wat zijn de doelen die we tijdens ons leven of erna willen bereiken? (doelen en belangen)

Terwijl de eerste vraag zich op een vrij abstract niveau bevindt, bevindt de derde vraag zich op een zeer concreet niveau. De tweede vraag zit er precies tussenin. Bij de eerste vraag staan de woorden geloven en denken centraal, bij de tweede het contact en de omgang met de ander en bij de derde het 'juiste' streven en handelen. De doelen die in de derde vraag aan de orde komen, zijn meestal in overeenstemming met het eigen en/of algemeen belang. De eerste vraag leidt tot visievorming, de tweede vraag tot moraalvorming en de derde tot identiteitsvorming. De drie vragen tezamen vormen het kader waarbinnen we denken en doen.

Dit referentiekader beïnvloedt in belangrijke mate hoe mensen gewend zijn naar elkaar te kijken, met elkaar om te gaan en te communiceren. Interessant is om te achterhalen welke beelden wij hebben van andersdenkenden. Het maakt eigenlijk niet zoveel uit of deze beelden vanuit een negatieve of positieve houding worden gearticuleerd. Zo vertellen bijvoorbeeld stereotiepe beelden die Marokkanen hebben over Nederlanders vaak meer over hoe Marokkanen over zichzelf denken dan hoe ze Nederlanders zien. Alleen door het ontdekken van verschillen bij de ander wordt men bewust van de eigen vanzelfsprekendheden. Veel antropologen zijn er zelfs van overtuigd dat we pas weten wie we zijn dankzij het bestaan van verschillen tussen mensen (zie ook het artikel van Sjaak van der Geest *de Volkskrant*, 17 september 1999: 'De gewoonheid van het exotische', een boekbespreking van *Infelicities: Representations of the Exotic* van Peter Mason).

Marokkanen die Nederlanders nogal precies vinden in het naleven van afspraken, zeggen eigenlijk dat ze moeite hebben met of lak hebben aan strakke en gestructureerde gedragsregels. Nederlanders die op hun beurt beweren dat Marokkanen nooit op tijd op een afspraak verschijnen, zeggen dat ze moeite hebben met of lak hebben aan flexibel en spontaan gedrag. Deze generalisaties over andersdenkenden vertellen ons meer over het gedrag van degenen die ze uiten. Sommige generalisaties zijn echter heel hardnekkig, omdat ze een stevige halve waarheid bevatten. Zo valt het buitenlanders vaak op dat bijna alle Nederlanders een verjaardagskalender hebben hangen op het toilet. In het buitenland valt het de Nederlanders vaak op dat de vrouwen en mannen zo apart van elkaar leven. Op zich zijn zulke constateringen vrij onschuldig, maar op het moment dat deze beweringen een negatieve invloed hebben op de manier waarop we de ander gaan zien, wordt het gevaarlijk. Daarom zal ik eerst aandacht schenken aan het ontstaan van beeldvorming om dan aan het einde van het boek, aan de hand van voorbeelden en casussen, te laten zien hoe cultuurbepaalde communicatie in de praktijk kan verlopen.

Ik zal daarbij een aantal studies over interculturele communicatie behandelen. Deze studies vallen grofweg in twee categorieën. Aan de ene kant is er literatuur die in zwaar wetenschappelijk vakjargon opgesteld is en zo theoretisch en complex van aard is dat door de vele mitsen en maren erin erg weinig bruikbaar is in de dagelijkse praktijk (zie W. A. Shadid: *Grondslagen van interculturele communicatie*, 1998). Aan de andere kant is er literatuur die erg praktisch oogt, maar door een te hoog anekdotegehalte en gebrek aan diepgang blijft steken in het alleen oppervlakkig beschrijven van zeer simplistische en stereotiepe beelden van mensen met andere culturen (zie D. Pinto *Interculturele communicatie*, 1994). Meer hierover in hoofdstuk 4.

Doel van het boek

Met dit boek wil ik aan de ene kant een stevig fundament leggen onder de manier waarop de wezenskenmerken van actieve en passieve culturen invloed kunnen hebben op het proces van cultuurbepaalde communicatie. Aan de andere kant kan dit boek een gids zijn voor professionals die in hun werkveld veel (moeten) werken met mensen van andere culturen en die met behulp van het brugmodel hun interculturele vaardigheden kunnen verbeteren.

Overigens, zonder dat ik met dit boek de pretentie heb een receptenboek te hebben geschreven voor hoe om te gaan met mensen van verschillende culturen, wil ik hiermee de lezer zeker wel prikkelen om eigen inzichten te verwerven in het verloop van interculturele gespreksvoering en hoe hij of zij die kan verbeteren. Ten slotte wil ik de lezer vooral bewust maken van zijn zelf- en ideaalbeeld van zijn eigen cultuur.

1 Beeldvorming

1.1 Wat is beeldvorming?

Wanneer we beter willen begrijpen hoe het toch komt dat communicatie tussen mensen van verschillende culturen vaak al bij voorbaat mislukt, moeten we eerst de beeldvorming onder de loep nemen. Beeldvorming vormt namelijk altijd een obstakel in de communicatie met de ander. Pas als we ons hiervan bewust zijn, kunnen we leren de invloed van onze beeldvorming over de ander tot een minimum te reduceren.

Wat verstaan we onder beeldvorming? Willen we weten wat we onder beeldvorming precies verstaan dan zullen we niet alleen de twee woorden letterlijk moeten ontleden, maar ook moeten kijken naar de uitwerking daarvan op het contact tussen mensen van verschillende culturen. Hier wordt onder beeldvorming het volgende verstaan: het beeld dat beklijft over de ander bij het (eerste) contact of via informatie door derden, bijvoorbeeld de media of van roddel en achterklap. Het beeld van de ander is meestal òf overdreven negatief òf overdreven positief gekleurd. Dit mechanisme van beoordelen, dat in de psychologie bekendstaat als de *fundamentele attributiefout*, geldt niet alleen voor het creëren van een eenzijdig beeld van de ander, maar ook het eigen beeld. Mensen zijn namelijk geneigd om zichzelf op de schouder te kloppen als ze zelf succes behalen, maar bij falen leggen ze de schuld al gauw bij de omstandigheden of de ander. Omgekeerd is succes bij de ander zeker niet door eigen kracht bereikt, maar bij falen leggen mensen de schuld wel bij de ander. (Denk in dit verband van het winnen van het Nederlandse elftal. Als 'ze' winnen dan hebben 'wij' gewonnen en als 'zij' verliezen dan hebben 'zij' verloren.)

Overigens geldt de hiervoor genoemde stelling voornamelijk voor mannen. De meeste vrouwen kijken anders tegen succes behalen aan. In psychologische studies is daar onderzoek naar gedaan. Als vrouwen presteren en succes hebben, komt dat omdat de omstandigheden goed waren, ze medewerking hadden, enzovoort. Als er dingen mis gaan, verwijten vrouwen dat veel vaker dan mannen zichzelf.

Deze beeldoverdrijving, die eigen is aan alle beeldvorming, beïnvloedt niet alleen bij voorbaat de kijk op die ander over wie men zich een beeld heeft gevormd of van wie een stereotiep beeld heerst. Het beïnvloedt ook in negatieve zin de eigen communicatie met de ander.

1.2 Hoe ontstaat beeldvorming?

Al vanaf de vroegste geschiedenis hebben mensen de behoefte gevoeld om de vreemdeling te beschrijven. Soms gebeurde dat door het raadsel van de vreemdeling in de vorm van reisverhalen op schrift vast te leggen of in beelden te vangen zoals in schilderijen. Ontdekkingsreizigers, zoals de Italiaanse Marco Polo (1254-1324) en de Marokkaanse Ibn Battoeta (1304-1369), die hun ervaringen van hun reizen naar vreemde landen opschreven, konden rekenen op veel aandacht van de thuisblijvers. De beschrijvingen van vreemde volkeren gingen vaak gepaard met een mix van verwondering, waardering en afkeuring. In het reisverslag van Ibn Battoeta, die aan het begin van de veertiende eeuw een kwart eeuw van zijn leven heeft gereisd, worden de Chinezen als volgt beschreven (zie vertaling *De reis. Ibn Battoeta* vertaald door Richard van Leeuwen, p. 302): *'De bewoners van China zijn ongelovigen en aanbidden afgoden. Ze verbranden hun doden, net als hindoes. (...) In alle Chinese steden is een wijk voorbehouden aan de moslims, waar ze wonen en waar ze hun moskeeën voor het vrijdaggebed hebben. Ze staan in hoog aanzien. De ongelovigen eten varkensvlees en honden die in hun soeks verkocht worden. Chinezen leiden een weelderig en gerieflijk leven, maar besteden geen aandacht aan hun voedsel of hun kleren. Een vooraanstaande koopman die onmetelijke rijkdom bezit, zie je lopen in een ruwe wollen mantel.'*

Verderop is Ibn Battoeta zeer lovend over de Chinezen (p. 304): *'De Chinezen zijn het meest van alle volken onderlegd en vaardig in de ambachten. (...) Wat betreft de schilderkunst doen zelfs de Roem* voor hen onder, want daar zijn ze ongelooflijk knap in.'*

---

* Roem is afgeleid van het woord 'Rome', dat symbool stond voor het christelijke Europa, maar oorspronkelijk verwees naar het Byzantijnse Rijk. (zie ook koran 30:2-3).

Tot slot het volgende citaat van Ibn Battoeta (p. 306): *'China is een veilig land en zeer gerieflijk voor de reiziger. Een mens kan zonder gezelschap negen maanden reizen met grote kostbaarheden zonder dat hij bang hoeft te zijn dat hij wordt beroofd.'*

Ibn Battoeta schreef over andere volkeren vanuit zijn 'arabcentrische visie'. Zo noemt hij tijdens zijn verblijf in Mali in 1352 zowel een paar goede als slechte eigenschappen van de negers. Net als in China kunnen reizigers volgens hem in Mali ook veilig reizen. Daarnaast roemt hij hun gevoel voor rechtvaardigheid. Als het gaat om hun slechte gewoonten schrijft hij: *'Tot hun slechte gewoonten behoort dat de bedienden, slavinnen en jonge meisjes zich naakt aan de mensen tonen, met onbedekte schaamdelen. (...) Ook eten veel zwarten beesten die niet ritueel geslacht zijn, honden en ezels.'* (p. 347)

Ook als het ging om de verklaring van de ontwikkelingsachterstand of voorsprong van de vreemdeling waren mensen nieuwsgierig naar de oorzaken ervan. Toen bijvoorbeeld de moslims tijdens de Middeleeuwen in contact kwamen met Europa vonden ze al snel dat het christelijke Westen een zeer onderontwikkelde cultuur kende. Deze constatering, die onder meer was gestoeld op de barbaarse praktijken van de christenen zoals heksenverbranding, burgeroorlogen en gebrek aan verlichte kennis, werd al gauw object van onderzoek. Enkele islamitische geleerden gingen zich toen zelfs verdiepen in de vraag hoe het toch kwam dat de blanke Franken (zo werden Europeanen door de Arabieren toen genoemd) zo achterliepen op de toen hoogstaande en tolerante islamitische beschaving. De conclusie van het onderzoek was dat het lag aan het koude klimaat waarin Europa zich bevond. Doordat het daar het merendeel van het jaar koud was, konden de hersencellen van de christenen niet genoeg geactiveerd worden. Daardoor bleven de christenen in het noorden dom. Zo was toen de redenering. Ook de van huidskleur donkere animisten en andere gelovigen in het zuiden konden nooit slim worden, omdat het daar weer te heet was om na te denken. De bruine moslims leefden in een perfect klimaat, precies in het midden van deze twee tegenpolen, dat niet te heet was in de zomer of te koud in de winter. Daarom was het ook logisch dat moslims vanzelf sneller, slimmer en beschaafder werden dan christenen in het Westen. Zo dachten sommige moslimschrijvers een aantal eeuwen geleden over het christelijke Westen (zie ook bijlage 3 'Niet spugen in de bron waar je ooit uit hebt gedronken', *Trouw*, 4 oktober 2002).

Wat in eerste instantie uit de interesse naar de beschavingsachterstand van de Europeanen ontstond onder de Arabische wetenschappers, eindigde in een zeer simplistische theorie over de domheid van zowel de blanke als de zwarte man. Hoe frappant zijn de overeenkomsten met de eenentwintigste eeuw. Na de aanslagen van 11 september 2001 valt het ineens extra op dat de moslims achterlopen op de westerse beschaving. De vraag in het Westen is nu hoe het toch komt dat islamitische landen zo achterlopen op de rest van de wereld.

Om in deze tijd nog aan de hand van een simpel model het verschil te verklaren tussen superieure en inferieure volkeren van verschillende religies of rassen vinden wij verwerpelijk, omdat dat racistisch is.

Tot zeker in de jaren negentig van de vorige eeuw trof je in Europa zulke rassentheorieën, die gebaseerd zijn op historische vooroordelen, in de schoolboeken aan. Afbeeldingen van een keurig geklede trotse blanke man naast die van een slordig geklede bange kleurling moesten de grote verschillen laten zien. Op deze manier werd de suggestie gewekt dat de blanken van oorsprong van een superieur ras zijn, terwijl de kleurlingen tot een primitief ras behoren. Het superioriteitsdenken en de vooroordelen over de ander werden er vroeg op school ingestampt en wijd verspreid in de media. Zo geeft het volgende fragment op pagina 32 in het *Tijdschrift voor geschiedenis, land- en volkenkunde* uit 1916 ons een glimp van hoe Nederlanders toen dachten over volkeren in Noord-Sumatra: '*De Atjehers zijn fanatieke mohammedanen, gewoonlijk niet al te best betrouwbaar, - de Gajo's zijn veel sympathieker; ofschoon ook mohammedaan, zijn ze niet fanatiek, eerder lafhartig van natuur.*'

1.3 Ontwikkelingsstadia van beschavingen volgens Ibn Khaldun

De conclusie die we nu kunnen trekken is dat bij elke beschaving, blank of zwart, het superioriteitsdenken en de vooroordelen pas echt wortels schieten bij haar cultuurdragers als ze de toppen bereiken van arrogantie op het gebied van macht en rijkdom. Volgens de allereerste socioloog Ibn Khaldun (1332-1406) gaat elke beschaving uiteindelijk ten onder aan haar arrogantie en decadentie. Hij onderscheidt vijf stadia in de ontwikkeling van een dynastie. Het eerste stadium begint met succesvol omverwerpen van de oude dynastie en, dankzij het groepsgevoel, oprichten van een nieuwe. Het tweede stadium betreft het verwerven van macht door een clanleider, het onderwerpen van de groep en het uitschakelen van oppositie. Deze eerste twee periodes worden sterk overheerst door strijd. Het derde stadium betreft het versterken en uitbreiden van de macht door onder andere een sterk leger op te bouwen. Het vierde stadium is het behoud van macht door het voorbeeld te volgen van de voorgangers en de traditie in ere te houden. Zowel stadium drie als vier worden gekenmerkt door relatieve rust, tevredenheid en vrede. Het laatste stadium wordt gekenmerkt door verspilling en decadentie, die weer sterke haatgevoelens kweken bij een groeiend aantal benadeelden. Dat leidt tot een gezamenlijke strijd, waarna weer een nieuwe cyclus begint van opkomst en ondergang van een nieuwe dynastie.

Stadium 1:	omverwerping oude dynastie, begin nieuwe dynastie
Stadium 2:	onderwerping eigen groep, uitschakelen oppositie
Stadium 3:	versterken en uitbreiden macht door opbouw sterk leger
Stadium 4:	handhaven van macht en in ere houden tradities
Stadium 5:	verspilling van macht, eerste tekenen van ondergang

Figuur 1.1   Overzicht ontwikkelingsstadia dynastie volgens Ibn Khaldun

1.4   Historische vergelijkingen en vooroordelen

Als we vandaag de dag de laatste fase van Ibn Khaldun ruim interpreteren, zijn de voortekenen voor de westerse beschaving niet gunstig. De westerse beschaving zou volgens het model van Ibn Khaldun aan de vooravond van haar verval zitten. Dag in dag uit horen en lezen we hoe steeds meer mensen met gezag, in de politiek en wetenschap, net als in de koloniale tijd, de loftrompet steken over de superioriteit van de westerse waarden en normen. Het gemak waarmee Amerika onder Bush na 11 september 2001 Amerikaanse waarden als vrijheid en democratie met alle middelen wil exporteren en opleggen aan de Arabische wereld, te beginnen met Irak, spreekt boekdelen. Bush dreigt met economische sancties of gewelddadig ingrijpen als de schurkenstaten, zoals het voormalige Irak van Saddam Hoessein, niet naar hem luisteren. De mentaliteit van 'do what I say', bevelen geven, in plaats van 'do what I do', het goede voorbeeld geven, past heel goed in stadium 5 van Ibn Khaldun. De leden van zulke superieur geachte beschavingen bekijken alle andere culturen met een ongezonde etnocentrische blik en zijn blind voor hun eigen gebreken. Zoals veel Arabieren in hun gouden tijd toen een arabcentrische kijk hadden op het Westen, hebben meer westerlingen nu weer vaker hun eigen eurocentrische kijk, op de Arabische wereld. De Italiaanse premier Berlusconi die de islam kort na de aanslagen van 11 september een achterlopende cultuur noemt, is daar een goed voorbeeld van.

Dialoog 3: Maankalender

Harrie: *Hoe komt het toch dat sommige moslimlanden op het gebied van techniek zo achterlopen op christelijke landen in het Westen?*

Haroen: *Dat heeft met ouderwetse onderwijsmethoden en kwakkelende economie te maken.*

Harrie: *Verklaren deze twee factoren volledig de rem op de technische vooruitgang?*

Haroen: *Nee, maar veel factoren hebben wel met geldgebrek te maken.*

Harrie: *Dus is geld het enige wat ze nodig hebben om ons in de tijd in te halen?*

Haroen: *Misschien, maar het hoeft niet. Moslimlanden doen het niet slecht als je weet dat ze daar volgens de maankalender nog in 1426 leven. Daarbij is het een kwestie van tijd dat ze de christelijke landen gaan inhalen.*

Harrie: *Oh ja, hoe dan?*

Haroen: *Het islamitische maanjaar is elf dagen korter dan het christelijke zonnejaar. Elke eeuw halen de moslims 1100 dagen in op de christenen. En in deze moderne tijd is tijd geld!*

Deze *etnocentrische kijk* betekent dat het vanzelfsprekend is dat men de eigen edele visie als enige maatstaf neemt om de andere culturen te beoordelen. Alles wat afwijkend is van de eigen cultuur is dan fout. Zo ontstaan er in een notendop historische vooroordelen. Het is daarom maar goed dat volgens een bijbels verhaal God al heel vroeg voor Babylonische spraakverwarring onder de mensen heeft gezorgd. Mensen moesten van Hem elkaar opnieuw gaan leren kennen door af te stappen van hun misplaatste beeldvorming, vanzelfsprekendheden en vooroordelen. In de koran worden gelovigen zelfs aangespoord elkaar te leren kennen, zo blijkt uit soera 49, vers 13: *'U bent tot volken en stammen gemaakt, opdat u elkaar leert kennen.'*

Dat de kennismaking tussen mensen van verschillende culturen niet altijd vlot, soepel en geweldloos verloopt, bewijst de geschiedenis. Kijken we bijvoorbeeld naar hoe de Nederlandse media sinds de komst van de gastarbeiders in de jaren zestig berichtten over de problematiek van de allochtonen, dan onderscheiden we grofweg twee perioden. De eerste periode, vanaf eind jaren zestig tot begin jaren negentig, werd gekenmerkt door een passieve en teruggetrokken houding van de Nederlandse media. De media berichtten toen wel over buitenlanders, maar zo voorzichtig en weinig kritisch omdat ze bang waren ze te kwetsen of te discrimineren. Toen de Nederlandse televisie de documentaire *Islam zonder twijfel* eind jaren zeventig uitzond, leidde dat tot een eerste grote commotie in Nederland. Naar aanleiding van deze documentaire volgde kort daarna een interview met een imam die vervolgens in de uitzending alle conservatieve opvattingen van de moslims bevestigde. Tegenwoordig hebben de media de schroom verre van zich afgeworpen en berichten ze bijna dagelijks over de onderbuikgevoelens en misstanden onder de minderheden en de islam in Nederland. Nu lijkt het alsof de oorzaak van bijna alle problemen rondom integratie van allochtonen, de multiculturele samenleving in Nederland en de problemen in de wereld ligt in de islam.

Het gevolg is dat grofweg twee extreme opvattingen de media bijna altijd halen. Zij die roepen dat allochtonen in Nederland alleen hier kunnen slagen als ze volledig assimileren en zij die juist beweren dat ze zich hier beter thuis gaan voelen als ze nog sterker teruggrijpen naar de oorspronkelijke cultuur. Het gevolg van de eerste opvatting is dat het de plicht is van moslims om hun geloof af te zweren als ze erbij willen horen of anders kunnen ze vertrekken. Het gevolg van de tweede opvatting is dat moslims het recht hebben zich terug te trekken in hun geloof om hun identiteit te bewaren en dus het recht hebben zich te isoleren van de rest: in het eigen 'Staphorstnest'. Deze extreme opvattingen, die lijnrecht tegenover elkaar staan, bevestigen de allerdiepste en donkerste angsten voor de ander. Het is wetenschappelijk zelfs bewezen dat vooroordelen versterkt worden als een lid van bijvoorbeeld de Turkse gemeenschap een misdaad begaat onder het mom van eerwraak, zoals de moord op conrector Hans van Wieren door de scholier Murat D. Eerwraak is van Turkse makelij en dus bestaat de hele Turkse gemeenschap in Nederland plotseling uitsluitend uit Murats. Dit proces staat bekend als het pygmalioneffect: je past je gedrag aan het stereotiepe beeld aan waardoor het wordt bevestigd (zie ook Klaas Bruin en Hans van der Heijde, *Intercultureel onderwijs*. p. 52). Dit effect, dat werkt als een self-fulfilling prophecy, onderscheidt zich duidelijk van de attributiefout. In het geval van een attributiefout geldt dat wanneer een lid van een Turkse gemeenschap een succes behaalt, zoals de zilveren medaille van bokser Orhan Delibas, behaald tijdens de Olympische Spelen van Barcelona in 1992, dat als een uitzondering wordt gezien.

1.5 Hoe komen we aan onze gekleurde kijk?

Om deze vraag te kunnen beantwoorden moeten we eerst op een rij zetten waar culturele vooroordelen precies vandaan komen. We hebben tot nu toe een aantal oorzaken behandeld, zoals het *etnocentrisme*, vanuit je superieur geachte cultuur andere culturen beoordelen. Het etnocentrisme wordt gevoed door het idee dat slechts één beschaving, namelijk de eigen beschaving, de allerbeste is. De rest is achterlijk of, mild geformuleerd, loopt achter of is onderontwikkeld. Tegenover dit monistische gedachtegoed staat het *cultuurrelativisme*, een stroming die kort na de Tweede Wereldoorlog in 1947 opkwam. Het cultuurrelativisme bestreed fel het superioriteitsdenken door te stellen dat alle culturen gelijkwaardig zijn. Het cultuurrelativisme was een natuurlijke reactie en aanklacht op de zinloze oorlogen die gevoed werden vanuit het idee dat mensen niet overal gelijk zouden zijn. Doordat de nazi's de joden als een minderwaardig volk zagen, kon men ze makkelijker ontmenselijken en daardoor letterlijk uitroeien. Het cultuurrelativisme verwierp alle bestaande *rassentheorieën* (zie paragraaf 1.2) die tot dan toe zeer populair waren onder alle koloniale mogendheden.

Volgens het cultuurrelativisme kunnen we beschavingen onmogelijk met elkaar vergelijken. In beeldspraak vertaald heeft het woord 'culturen' dezelfde grammaticale functie als 'fruit': het is een verzamelwoord van veel soorten fruit. Daarom is vergelijken tussen culturen, net als appels en peren uit den boze. Aanhangers van het cultuurrelativisme waarschuwen ons om andere cultuurdragers, zoals de moslims, vanwege hun achterstand op de westerse cultuur op het gebied van wetenschap en techniek 'achterlijk' te noemen. Toch worden ook in deze tijd vooral conservatieve wetenschappers in de westerse wereld vanwege hun hang naar het etnocentrisme, een stroming die ten tijde van het kolonialisme hoogtij vierde, verleid om dubieuze uitspraken te doen over andere, naar hun mening, achtergebleven culturen, zoals Paul Cliteur. Hoewel het zeker waar is dat zo'n etnocentrische kijk zonder meer leidt tot een negatieve beeldvorming ligt er naar mijn stellige overtuiging nog een diepere oorzaak achter het ontstaan van vooroordelen.

Het feit dat we vanuit ons culturele referentiekader naar andere culturen kijken en aan de hand van onze normen en waarden redeneren is een vast gegeven. We kunnen haast niet anders, omdat we al vanaf onze geboorte door onze opvoeding een gekleurde kijk hebben op onze omgeving. Niet alleen onze kijk op de wereld en de ander zijn sterk beïnvloed door de omgeving waarin we opgroeien, maar ook ons gedrag. Hier is het heel normaal om bij wijze van begroeting de ander een hand te geven. In Japan buigen ze om iemand te begroeten. Het is hier ook normaal dat mannen vrouwen drie keer op hun wang kussen, maar mannen onderling geven elkaar weer vaker een hand. In Marokko is het niet normaal dat mannen vrouwen, die geen lid zijn van de directe familie, op hun wang kussen. Daarentegen is het vier keer kussen van mannen een heel normaal gebruik. Zo zie je aan de hand van een op het oog simpele begroeting hoe verschillend mensen daarmee omgaan. Als mensen hiervan niet op de hoogte zijn, mislukt de communicatie met de ander al bij voorbaat.

Daarnaast kunnen mensen de wereld om hen heen niet uitsluitend verklaren door hun ratio, zoals de Franse filosoof René Descartes (1596-1650) met zijn uitspraak 'ik denk, dus ik besta' suggereerde. Gevoel(ens) en ervaringen worden er altijd bij betrokken. Niemand kan om deze reden onbevooroordeeld kijken naar de ander. Iedereen heeft zo zijn eigen gekleurde kijk op de werkelijkheid. Objectiviteit in contact tussen mensen van verschillende culturen is dus onmogelijk en zelfs onwenselijk. Het wel of niet slagen van een contact is immers altijd afhankelijk van je gevoel en dat is altijd subjectief. Er zijn dus geen objectieve maatstaven te hanteren aan de hand waarvan we kunnen constateren dat het contact tussen twee mensen van verschillende culturen geslaagd is. We kunnen hoogstens vragen naar de mate van de subjectieve beleving van succes of falen.

Wat we wel kunnen doen is de mate van succes voorspellen. Dat kunnen we doen door indicatoren, zoals tolerantie en empathie, aan de hand van stellingen te meten op een schaal oplopend van zeer hoog tot zeer laag. (zie verderop het schematische overzicht van de schaal van tolerantie en empathie). Stel dat persoon A erg laag op de schaal van tolerantie en empathie scoort dan zal hij op vakantie in een vreemd land zeker geen contact kunnen maken met de mensen die daar leven. Zijn superlage tolerantie en empathie zitten immers het contact met de vreemdeling in de weg. Een totaal gebrek aan empathie bij persoon A zal zich vroeg of laat wreken op dezelfde persoon, omdat hij op geen enkel begrip hoeft te rekenen bij de ander. Dat zouden we het *boemerangeffect* kunnen noemen: je oogst wat je zaait bij de ander. In de praktijk zal zo'n persoon over het algemeen zijn veilige thuishaven niet verlaten, tenzij hij in een vreemd land zich goed kan isoleren van de inheemse bevolking. In de praktijk komt dit laatste ook nog voor. Denk aan sommige leden van het ambassadepersoneel die jarenlang in het buitenland werken, maar alleen met soortgenoten omgaan.

Daarentegen zal persoon B die zeer hoog scoort op de schaal van tolerantie en empathie gemakkelijk contact maken met de vreemdeling. Zijn hoge scores zorgen voor toegang tot een vreemde cultuur. Ook hier past een kleine kanttekening. Een overdrijving van het inlevingsvermogen kan onherroepelijk leiden tot een negatieve waardering van de eigen cultuur en zelfs ontkenning van de eigen identiteit of bekering tot de cultuur van de ander. Een goed voorbeeld van zo'n overdrijving zijn blanke trommelaars die op multiculturele festivals zich onnatuurlijk gedragen door zwarte Afrikanen na te apen in kleding en gedrag. Dat kan op termijn zelfs tot irritatie leiden bij de doelgroep wanneer het na-apen van hun gedrag als een belediging wordt ervaren.

Tolerantie hoog	+/- (persoon C)	++ (persoon B)
Tolerantie laag	-/- (persoon A)	-/+ (persoon D)
	Empathie laag	Empathie hoog

Figuur 1.2 Schematisch overzicht van de tolerantie- en empathieschaal

Kijken we, ter vergelijking en voor de volledigheid, ook naar de situatie van persoon C en D, dan zien we dat ook daar de voorwaarden om contact te maken met de ander niet ideaal zijn. Persoon C mag dan zeer tolerant zijn, maar omdat hij of zij zich slecht in de ander kan inleven, wordt hem of haar snel onverschilligheid verweten. Persoon D is goed in staat zich in de ander in te leven, maar omdat hij of zij een zeer lage tolerantiegraad scoort, wordt hem of haar starheid verweten.

Om contact te maken met een lid van een andere cultuur is behalve tolerantie een gezonde dosis culturele empathie noodzakelijk. Tolerantie kan op twee manieren verstaan worden. Vanuit de negatieve benadering is tolerantie voor sommigen een noodzakelijk kwaad om te kunnen overleven in een in hun ogen vijandige of verloederende omgeving. Volgens deze benadering houdt tolerantie precies op bij de voordeur van het eigen huis. Aanhangers van dit soort tolerantie hoor je vaak het volgende opmerken: *'Ik heb niks tegen homo's, moslims, joden, enzovoorts, maar ze zijn niet welkom in mijn huis'.* Vanuit de positieve benadering vormt tolerantie een wezenlijk onderdeel van de eigen identiteit. Hier wordt tolerantie niet alleen in de openbaarheid gepredikt, maar wordt er ook naar gehandeld in het privé-domein. Tolerantie in deze zin is geen overlevingstactiek, maar een leefwijze.

Culturele empathie vereist een kritische en open houding die op drie niveaus onderscheiden kan worden met als primair doel de ander te begrijpen:

1   Men is zich zoveel mogelijk bewust van de eigen cultuurbe-
     paalde denkbeelden, gevoelens en het gedrag.
2   Men staat open voor nieuwe denkbeelden, gevoelens en
     nieuw gedrag van de ander.
3   Men is in staat zich in te leven in de denkbeelden, gevoelens
     en het gedrag van de ander.

Culturele empathie is echter niet genoeg. We hebben nog minstens drie zaken nodig: ons verstand, een onbevangen en flexibele houding en oprechte interesse in de ander. Natuurlijk hebben
empathie en interesse een relatie met elkaar. Het verschil tussen
deze twee is dat interesse altijd een eerste voorwaarde is voor empathie, maar interesse voor iemands verhaal hoeft niet gepaard te
gaan met inlevingsvermogen. Tezamen vormen zij de basis van
een goede communicatie met de ander. Verder helpen inzichten
in de praktische kant van de kunst van het communiceren met
mensen uit verschillende culturen daar zeker bij. We zullen hier
aandacht geven aan het verstand. De andere zaken die van groot
belang zijn in de communicatie, zoals culturele empathie, onbevangen, flexibele en oprechte interesse worden vanaf paragraaf
4.3 en verder uitgewerkt. Het advies om je verstand te gebruiken
lijkt heel simpel, maar is in de praktijk niet altijd gemakkelijk. Zo
worden mensen, die zwart-wit denken, in Nederland in de regel
vaak afgeschilderd als 'nuchter'. Daarmee diskwalificeert men in
feite alle mensen uit culturen waar men heel emotioneel en spiritueel is en ergens in gelooft, zoals in bovennatuurlijke krachten.

Mensen die in eerste aanleg behept zijn met verstand, ontkomen
niet aan manipulatie van hun omgeving als zij niet leren zelfstandig en onafhankelijk na te denken. Daarom is vrijheid van denken een groot goed in alle beschaafde landen. Denken is een vaar-
digheid die door het vaker te doen kan worden verbeterd. Denken
leidt tot bewustwording van de oorsprong van je eigen denkbeelden. Door daar bij stil te staan raak je doordrongen van je eigen
gekleurde kijk. Mensen met verstand hoeven dus niet per se verstandige mensen te zijn, laat staan verstandige besluiten te nemen. Omgekeerd bestrijd ik de oosterse mythe dat alleen de ouderen en mensen met veel boekenkennis en ervaring of vanwege
hun 'heilige' of bijzondere afstamming de wijsheid in pacht zouden hebben. Ook daar geldt dat sommige ouderen die hun neus
ophalen voor de jeugd van tegenwoordig door star vast te houden

aan hun versleten idealen en geen dialoog met jongeren wensen, nooit echt wijs zullen worden.

Dat wijsheid en ouderdom niet noodzakelijkerwijs hand in hand gaan, illustreert de Marokkaanse dichter Ahmed Essadki in zijn prachtige gedicht 'Hemmadi wil imam worden'. Hieronder volgen een paar fragmenten uit dit gedicht (*Strijdkreet van de aarde*. Ahmed Essadki, 1997, pagina 75 en 83).

Hij is in Nederland beland en ze hebben hem naar de moskee gesleurd.
'Je moet de mode volgen,' kreeg hij te horen,
'en je aansluiten bij de ijveraars voor het geloof.'
Hemmadi kreeg een nieuw verenkleed en een volle krop.
Hij toonde zich trots in zijn nieuwe gedaante.
'Ik word imam,' zei hij, 'Ik ga het woord van God verkondigen!'
(...)
O Hemmadi,
de dag dat jij slimmer wilde worden, werd je dommer!
Je hebt met je eigen rechterhand de brand gestoken
in de djelleba die je draagt.

Ook al telt Hemmadi de kralen van het bidsnoer,
iedere ochtend en iedere avond,
ze hebben zijn hersenen aangetast,
ze hebben zijn hart duister gemaakt als
een zwartgeblakerde steen van vuurplaats.

Hetzelfde geldt ook zeker voor sommige intellectuelen die ondanks hun boekenwijsheid niet in staat zijn onafhankelijk en creatief te denken. Soms moet je als het ware met een derde oog naar jezelf en je omgeving durven te kijken om je nog bewuster te worden van bepaalde mechanismen die kunnen leiden tot negatieve beeldvorming. Zelfs een beeld dat in eerste instantie positief bedoeld is, kan een negatieve connotatie hebben. Zoals dat eeuwig dominante en primitieve beeld van veel Nederlanders over multicultureel Nederland. Dit beeld, dat kennelijk al lang het Nederlandse publiek aanspreekt tijdens multiculturele activiteiten, is het beeld van de alsmaar trommelende en wild dansende Afrikaantjes. Alsof dat het symbool is van multicultureel Holland. Hoeveel nationaliteiten herkennen zich in een groep die uit een land in Afrika komt waarvan niemand weet waar het ligt? Wat overblijft, is een bevestiging van een primitief beeld van de Afrikanen. Misschien verklaart dit eenzijdige beeld, allochtonen die buiten muziek maken en dansen en verder niets presteren, waarom allochtonen die niet aan dit beeld voldoen telkens kunnen rekenen op overdreven complimenten voor hun prestaties. Opmerkingen als: 'Goh, wat knap, een allochtoon die het Nederlands goed spreekt, een boek schrijft of een televisieprogramma presenteert', zijn vaak goed bedoeld, maar kunnen meestal door allochtonen zelf negatief worden geïnterpreteerd.

Niet alleen de publicist Anil Ramdas heeft zich in het verleden al vaker verbaasd over het feit dat hij regelmatig complimenten kreeg over zijn keurig gebruik van het Nederlands, terwijl hij nota bene met het Nederlands is opgegroeid, ook andere van oorsprong allochtone journalisten, filmmakers en televisiepresentatoren, zoals de Marokkaanse Najib Taoujni, van het vroegere televisieprogramma *Paspoort* dat in de jaren tachtig werd uitgezonden, kregen die complimenten.

Een beeld ontstaat natuurlijk niet zomaar spontaan. Het is een proces van jaren en soms eeuwen. Ieder beeld kent zijn eigen historische wortels en verbergt een verhaal. Om te achterhalen in hoeverre een bepaald beeld over de ander overeenkomt met de realiteit en onze kijk op de ander beïnvloedt, moeten we ons eerst afvragen hoe zo'n beeld in onze cultuur is verankerd. Daarvoor is het niet alleen noodzakelijk terug te graven in de tijd, maar ook naar het heden te kijken. We beginnen met *beeldtaal*. Als voorbeeld nemen we hier de vraag: welke beelden over het Oosten hebben we hier in het Westen door de eeuwen heen gehad?

1.6 Beelden over het Oosten en oosterlingen

Elke dag worden we overspoeld met beelden over de wereld van het Midden- en Nabije Oosten. Daar heerst de islam als religie en als cultuur. Het gebied waar de islam als geloof domineert, strekt zich uit van Marokko tot Indonesië. Zoals alles krijgt ook de islam betekenis in onze verbeelding. Wanneer we dwars door de illusie van onze verbeelding heen kijken, ontdekken we snel dat beelden die men in het Westen heeft over de wereld van de islam zeer eenzijdig zijn. Dat gold vanaf de opkomst van de islam en dat geldt nog steeds. Dat zal ik ook aan de hand van een aantal voorbeelden laten zien. Al eerder gaf ik met een voorbeeld aan dat de (moslimse) oosterlingen in de Middeleeuwen zelf ook niet verschoond waren van stereotiepe beelden over de (christelijke) westerlingen die toen Franken werden genoemd. Zo riepen in de Middeleeuwen de moslims dat christenen achterlijk waren. Moslimgeleerden konden deze achterlijkheid verklaren door de theorie van het koude klimaat (zie paragraaf 1.2).

Toen de islam in contact kwam met het christelijke Westen hebben de westerlingen de stichter van de islam, profeet Mohammed, vaak uitgemaakt voor een valse profeet. Daarna hebben felle polemieken over en weer christelijke theologen en moslimtheologen eeuwenlang beziggehouden. De meeste beschuldigingen en kwetspartijen aan elkaars adres berusten op een vals beeld van elkaar. Men wist door een gebrek aan dialoog helemaal niets van elkaar. Het valse beeld was meestal gebaseerd op misinformatie, misverstanden en afgunst. Zo hebben moslims en christenen elkaar eeuwenlang beledigd en met kruistochten en heilige oorlogen bestreden, zonder maar iets van elkaar te weten. Een aantal zaken berust op vooroordelen. Over en weer. Zo zijn er in deze moderne tijd nog steeds strenge moslims die het Westen zien als een put van verderf en verloedering vanwege onder andere de alcoholconsumptie en de erotiek in de reclames. Ter illustratie zullen we niet alleen kijken naar de beelden die westerlingen tot in deze huidige tijd hebben in hun fantasieën van bijvoorbeeld de inwoners van het Midden- en Nabije Oosten, zoals Arabieren en moslims, maar ook van de oosterlingen van het Verre Oosten, zoals de Indonesiërs en Japanners.

Wie is zich altijd bewust van zijn of haar verbeelding of beeldvorming? We hebben allemaal door onze kennis en ervaring een beeld van de ander. Vaak hebben we dat van horen zeggen of zien. Dat beeld beïnvloedt echter onze kijk op en de communicatie met die ander zonder dat we iemand anders überhaupt hebben gesproken. Alleen het beeld is genoeg. Dat komt doordat onze omgeving ons al een beeld van die andere persoon heeft gegeven en soms opgedrongen, bijvoorbeeld door verhalen over de ander.

De rol die de moderne media nu vervullen is vergelijkbaar met de rol die schilders in het verleden speelden. Schilders die naar het 'exotische' buitenland reisden, raakten gefascineerd door nieuwe indrukken. Soms waren die indrukken zo fantastisch dat daardoor onbedoeld eeuwenlang allerlei mythen over andere culturen in stand zijn gehouden. Als we kijken naar het schilderij *Nell' Harem* van de Italiaanse schilder Francesco Hayez (1791-1881) dan zien we wat voor enorm romantisch beeld westerse schilders hadden van de moslimwereld. (Het woord *harem* stamt overigens af van het Arabische woord 'haraam', dat verboden betekent.) Het harembeeld van Hayez (zie catalogus 'Eastern Encounters', Sotheby's, 2000) bestaat uit een sultan die omringd wordt door een aantal schaars geklede, mooie animeermeisjes of odalisken en een rondlopende eunuch die de sultan continu verwennen. Bijna een kopie van dit beeld, maar dan zonder afbeelding van de sultan, zien we in het schilderij de *Nubische verhalenverteller* van Frederick Arthur Bridgeman (1847-1928). (Zie voor impressie www.orientalistart.net/Page4.html) Zulke droombeelden berustten veelal op fantasieverhalen van de schilders over de harems van de sultan. De tentoonstelling *Fata Morgana* die tot begin 2005 in het Noord-Brabantse Museum in het teken stond van de Nederlandse oriëntalistische kunstenaars riep de prangende vraag op 'in hoeverre onze hedendaagse blik op de islamitische wereld nog steeds de sporen van het oriëntalisme met zich meedraagt'. Het antwoord is te vinden in hoe men in het Westen, de oosterlingen of het Oosten in stripboeken, tekenfilms en speelfilms in beeld brengt (zie ook paragraaf 1.8).

In ieder geval had het eenzijdige beeld, zoals de stereotypen over het Oosten en oosterlingen, een grote impact op de beeldvorming van de Europeanen op de (moslimse) oosterlingen. Via dit beeld maakte men in het Westen vanaf de achttiende eeuw opnieuw kennis met vooral de islamitische manier van leven en de oosterse moraal. Vooral de vrije moraal op het gebied van seks sprak veel puriteinse westerlingen van toen aan. Deze keer was het Oosten door zijn onbedorvenheid een ideale plek voor veel westerse kunstenaars. Pas later, begin twintigste eeuw, maakte een aantal kunstenaars, waaronder de Nederlander August Legras, zich zorgen over de slechte invloed van de 'fabriek' op het beeld van het Oosten.

Met de fabriek wordt hier de intrede van de industriële revolutie bedoeld. Veel westerse kunstenaars zagen de opkomst van fabrieken in de oosterse wereld als een aantasting van de schoonheid van de natuur en hun romantische (vertekende) beeld van het Oosten. De metafoor de 'fabriek' was een doorn in hun (kunstenaars)oog. Het Oosten moest vooral zo onbedorven en primitief blijven. Dat gaf hun namelijk inspiratie om de schilderachtige taferelen te maken.

Hun oriëntalistische schilderijen functioneerden niet alleen als vensters naar de islamitische wereld, maar beïnvloeden ook de publieke kijk van westerlingen. Onbedoeld beïnvloedden schilders soms een bepaalde gewoonte van een exotische cultuur. Balinese vrouwen die tot in het begin van de vorige eeuw altijd met een ontbloot bovenlijf liepen, bedekten hun borsten zodra zij doorkregen dat zij westerse schilders en later ook de toeristen prikkelden in hun erotische fantasieën op het doek of anderszins. Zouden we de geijkte erotische beelden als uitgangspunt nemen dan vertroebelt dat de kijk op en de relatie met oosterlingen. Het beeld van de harems is een piepklein facet van een veel groter beeld. Zelfs schilders die nog nooit naar een oosters land waren geweest schilderden graag haremvrouwen op hun doeken. Dat deden zij op basis van romantische afbeeldingen van andere kunstenaars of inspiratie uit duizend-en-één-nachtverhalen. Daarin kwamen inderdaad verhalen voor van sultans met harems, vliegende tapijten en geesten. Het beroemdste lid van de harem was de intelligente hoogopgeleide Sheherazade die de sultan elke nacht een vensterverhaal moest vertellen om niet de volgende dag gedood te worden. Uiteindelijk trouwde de sultan met haar. Dit romantische beeld conflicteert vandaag de dag met de laaggeschoolde, zwaar gesluierde vrouwen die ook in Nederland rondlopen.

Een voordeel van deze *overromantisering* van het beeld over de oriënt is dat een aantal westerse kunstenaars hun meesterwerken heeft gemaakt op basis van deze fantasievolle interpretaties. Wij genieten nog steeds van de schoonheid van hun romantische beeld over de oriënt. De Amerikaans-Palestijnse literatuurwetenschapper en publicist Edward Said, die eind 2003 is gestorven, heeft een zeer uitgebreide studie gedaan naar de mythevormingen in het Westen. In zijn boek *Orientalism* haalt hij fel uit naar het valse beeld dat bestaat over het Oosten.

1.7 Beelden als eye-opener of propaganda?

Omdat schilderijen, zeker in de tijd dat er geen fotocamera's bestonden, de functie van foto's hadden, geloofden veel mensen die niet konden lezen of reizen en dus sterk afhankelijk waren van beelden uit de media, dat het om feitelijke beelden ging. Nu we over verschillende media beschikken, zien we hoe televisiebeelden ontzettend belangrijk zijn voor de beeldvorming van de ander. Beelden kunnen ook worden ingezet om anderen zwart te maken. Tijdens de Tweede Wereldoorlog zijn onder andere filmbeelden en cartoons gebruikt om te laten zien hoe slecht de joden waren. Dat was puur racisme. (In het Arabisch betekent ras 'hoofd'. Wellicht komt het racisme hiervandaan: het onderscheid maken tussen hoofden?) Het was propaganda van de nazi's om de ontmenselijking en daarmee de oorlog tegen de joden te rechtvaardigen. Joden in Europa staan bekend om hun Jiddische zwarte humor. Hier volgt een voorbeeld ter illustratie, vrij geciteerd naar een grappige dialoog op pagina 260 in de *Joodse Humor* (1978) van Salcia Landmann:

'Twee joodse vrienden, die in de Hitlertijd leven, zitten met elkaar te praten. De een vraagt de ander welke krant hij leest. Als hij zegt dat hij juist de nazikranten leest, is de eerste natuurlijk verbaasd. Als hij hem wijst op de zeer eenzijdige beelden die deze krant geeft over de joden, zegt de ander: "dat is precies de reden waarom ik het lees. Er wordt gezegd dat wij joden de rijkste en machtigste lieden ter wereld zijn en zelfs baas over heel Rusland en Amerika".'

1.8 Invloed van strips en films op onze beeldvorming over de exotische ander

Hebben moslims in de negatieve beeldvorming vandaag de plaats overgenomen van de joden? Nee, maar je ziet na 11 september wel weer een vergelijkbare en enge ontwikkeling van het als zondebokken aanwijzen van alle moslims. Het komt in sommige media nogal vaak voor dat men of de Marokkanen in Nederland, of de Arabieren of de moslims in het Westen als een grote homogene groep afschildert die allemaal hetzelfde gelooft, denkt en doet. Dit op een grote hoop gooien van verschillende identiteiten en het islamiseren van maatschappelijke problemen leidt vanzelfsprekend tot een eenzijdige en negatieve beeldvorming. Het kenmerk daarvan is dat deze beeldvorming, bestaande uit stereotiepe beelden, vaak niet klopt. Zo zijn de meeste Nederlandse Marokkanen wel moslims, geen Arabieren, maar meestal Berbers. Eigenlijk zijn Marokkanen ook geen Berbers, want dat woord komt weer van 'Barbaros', Oud-Grieks voor 'barbaar'. Berbers noemen zich 'Imazighen', dat weer 'vrije mensen' betekent. Om dit beeld scherp te krijgen, moeten we terug naar de bron. Waar komen deze beelden vandaan?

Dialoog 4: Stigma Marokkanen

Harrie: *Leuk, zo'n initiatief 'Hoe leuk zijn Marokkanen?'! Wat vind jij?*

Haroen: *Deze domme actie leidt weer tot het zoveelste stigma! Net als kut-Marokkanen.*

Harrie: *Nee, het is juist bedoeld om een positief imago van Marokkanen te tonen.*

Haroen: *Oh ja? Dat is maar de vraag.*

Harrie: *Dat begrijp ik niet. Kun je geen leuk voorbeeld geven?*

Haroen: *Ik? Een voorbeeld? Dat kan ik niet, want ik ga zelf niet graag om met kut-Marokkanen, zelfs niet wanneer ze leuk zijn.*

Zoals al eerder geconstateerd treffen we in de kunstwereld de moslimvrouw meestal aan in een harem en de moslimman zien we meestal rijden op een Arabische hengst. Je krijgt dan een beeld van de nobele wilde, altijd op zoek naar strijd en oorlog. Dit beeld was toen ook al eenzijdig, want mijn vader heeft nog nooit op een paard gereden, hoogstens op een muilezel. Toch is dit beeld lang niet zo erg als het beeld dat we nu in de media wel eens aantreffen over Arabieren of moslims. In de kern verschillen ze niets van elkaar. Het beeld over de moslimvrouw is nu dat ze gevangen is in een gouden kooi, de keuken, ook een soort harem, omdat ze van haar man, de 'sultan', het huis niet mag verlaten.

Als we naar de tekenfilms van Walt Disney kijken, zien we dat onze stereotiepe beelden van de ander sterk worden uitvergroot en ons al op zeer vroege leeftijd worden ingeprent. Niet alleen over Arabieren worden stereotiepe beelden bevestigd, zoals in *Aladdin en de wonderlamp*, maar ook over zwarte Afrikanen, Indianen en Chinezen in achtereenvolgens *The Lion King*, *Pocahontas* en *Mulan*. Zo leren westerse kinderen in *Aladdin* dat Arabieren vooral bestaan uit sultans, rovers en bandieten die temidden van de barbarij in de woestijn wonen waar geesten leven. In *Mulan* zien we dat Chinezen erg onderdanig zijn. Zo buigt de vrouw altijd diep voor de man, de leerling voor de meester, de massa voor de keizer en verder lijken ze allemaal op elkaar.

Dit overdreven geromantiseerde en eenzijdige beeld zien we ook terug in films uit Hollywood, zoals *Lawrence of Arabia*, waar Arabieren worden afgeschilderd als een stelletje incompetente barbaren die slechts op macht uit zijn. Bovendien zijn Arabieren achterlijk, niet te vertrouwen en volgen ze als wilde beesten slechts hun oerdriften. Een citaat van een fragment uit een Amerikaanse film uit 1941 *Action in Arabia* spreekt in dit verband zeer tot de verbeelding. Eenmaal aangeland in Damascus concludeert een Amerikaanse gast al op het vliegveld het volgende: *'Middle East or Middle Ages, what's the difference?'* In Hollywoodfilms hebben de Arabieren en moslims meestal twee kenmerken. Ten eerste worden de slechte rollen zoals die van terroristen, kidnappers, moordenaars en brute of domme rijke prinsen altijd gespeeld door Arabieren of acteurs met een Arabisch uiterlijk. Ten tweede praten de acteurs die een Arabier spelen krom Engels en op luide ongeciviliseerde toon tegen medespelers.

De Amerikaanse film *Doctor Zhivago* (1965) waarin Omar Sharif, een van oorsprong Egyptische acteur, een goede rol speelt vormt hierop een uitzondering.
De film *The Siege*, die in 1998 is gemaakt, waarin Bruce Willis als Amerikaanse generaal en Denzel Washington als FBI-agent het moeten opnemen tegen Arabische moslimterroristen die aanslagen plegen in New York is een perfect voorbeeld van hoe gemeen Arabieren kunnen zijn. In de film worden Amerikaanse burgers van Arabische oorsprong aangehouden en voor de zekerheid als verdachten in een concentratiekamp gestopt. Na de aanslag van 2001 is dit doemscenario gedeeltelijk bewaarheid. Weliswaar worden Arabieren niet in een concentratiekamp gestopt, maar bijna alles wat Arabisch is of lijkt is na 11 september extra verdacht in Amerika. Zo zijn veel Amerikaanse burgers van Arabische oorsprong zonder proces opgepakt en sommigen zijn zelfs het land uitgezet omdat ze Mohammed, Hussein of Ahmed heten.

In september 2004 is Jusuf Islam, de tot de islam bekeerde voormalige zanger Cat Stevens, de toegang tot de Amerikaanse bodem ontzegd. Hij werd weer teruggestuurd naar Engeland. Het is niet te hopen dat de film *The Siege* een voorspellende waarde heeft. Hier zien we dat illusie zich vermengt met de werkelijkheid. Zo'n combinatie van fantasie en realiteit boezemt angst in en bevestigt het slechte beeld over de Arabier. Zelfs Arabieren die christen zijn, worden het slachtoffer van de islamfobie die nu na 11 september in Amerika heerst. Het moet gezegd worden dat actiefilms uit Hollywood zoals *Rambo* en *Terminator* ook in het Midden-Oosten ontzettend populair zijn. Sommige critici in het Midden- en Nabije Oosten menen dat deze films een kwalijke invloed hebben op de vertroebelde geesten van oosterlingen.

Ook Japanners hebben, net als de Arabieren en moslims, last van de manier waarop ze regelmatig agressief en wild in beeld worden gebracht in Amerikaanse films. In de film *The Last Samurai*, waarin Tom Cruise de hoofdrol speelt, worden de oeroude Japanse tradities en waarden verheerlijkt, zoals blinde trouw aan de keizer en vaderlandsliefde. Het beeld dat de film bij de meeste kijkers oproept, is dat de 'ware' Japanners zich graag doodvechten voor de idealen van hun vaderland en hun afkeer tegen buitenlandse invloeden niet onder stoelen of banken steken. Hoewel vooral oerconservatieve Japanners vinden dat Hollywood met deze film Japan positief belicht, is de film bij moderne Japanners in het verkeerde keelgat geschoten. Volgens hen zet deze film aan tot een zeer overdreven vaderlandsliefde en etnocentrisch denken dat slechts vreemdelingenhaat voedt en zelfs op termijn kan leiden tot oorlog.

Ook Amerikanen worden regelmatig als karikaturen opgevoerd in buitenlandse actiefilms, zoals bijvoorbeeld in de populaire Turkse actiefilm *Kurtlar Vadisi* (2005), *Vallei van de Wolven*. De film zorgde voor beroering en discussie onder sommige westerlingen. (zie bijlage 8 'De zwart-witbeelden doen niets af aan de broodnodige boodschap')

Stereotiepe beelden over de ander zijn ook in andere media niet te stuiten. Je ziet ze opduiken in kinderliteratuur en stripverhalen die op het eerste gezicht onschuldig lijken. Zoals in de indianenverhalen van Karl May die in de jaren zestig ook verfilmd zijn, in strips van *Sjors en Sjimmie* en *Kuifje*. Als je als kind al het verhaal

Winnetou leest of strips leest van de eerste uitgaven van *Sjors en Sjimmie* of *Kuifje*, is een eenzijdig beeld gegarandeerd over indianen, negers en oosterlingen. Het is dan ook niet vreemd dat sommige kinderen in het Westen later ook in contact met deze exotische doelgroepen al een gekleurd beeld hebben. Vreemdelingen zijn vaak dom, gemeen, agressief, onbetrouwbaar of gewelddadig. Nu nog worden Arabieren in strips vaak afgebeeld met een lange baard, een kromme neus en een zwaard. Hoe opvallend zijn de overeenkomsten met hoe nazi's net voor de Tweede Wereldoorlog de joden het liefst afschilderden: als gemene, onbetrouwbare geldwolven die stiekem iedereen manipuleren!

We zien ook vaak dat vooroordelen niet alleen in sommige leerboeken, nieuwsrubrieken, (teken)films, strips en reclames worden bevestigd, maar ook in cursussen interculturele communicatie. Zo leren veel rijksambtenaren nog steeds dat Arabieren neerkijken op vrouwen, kinderen en zwarten en allen die niet moslim zijn. Overigens sluit dit 'neerkijken op vrouwen en zwarten' aan bij de ervaring van sommige Arabieren, zoals de Arabische televisiepresentatrice, Rita Khoury, van de Arabische versie van het spelprogramma 'De zwakste schakel'. (zie artikel 'Na de zwarten worden steevast de vrouwen weggestemd', in *NRC Handelsblad*, 10 november 2002).

Omgekeerd leren natuurlijk ook moslimleerlingen via sommige fabels, sprookjes en verhalen op scholen en thuis dat je maar beter het contact kunt mijden met vreemdelingen. Zo wordt in een dierenfabel *Het verdrietige vosje* een sympathiek verhaal verteld. Het verhaal draait om een vosje dat zijn ouderlijk huis 's nachts verlaat om, via gesprekken met andere dieren, zoals een kip en een hond, een nieuwe identiteit aan te nemen. Aan het eind van het verhaal wordt hem duidelijk dat hij niet alleen ontzettend trots moet zijn op wie hij is, maar dat elke verandering van zijn identiteit een zwakte is en dat andere dieren bovendien zijn natuurlijke vijanden vormen. Het vosje merkt in het verhaal het volgende trots op: *'Ik wil helemaal niet veranderen in iemand anders. Als ik geen vos zou zijn, dan zou ik graag een vos willen zijn.'* Interessant in het verhaal is verder dat het vosje zijn ervaring niet deelt met zijn moeder, omdat hij bang is voor slaag, aangezien hij een fout heeft begaan door met andere dieren in het bos contact te zoeken en hun gedrag over te nemen.

1.9 Conclusies

Nooit eerder werden mensen dagelijks letterlijk bedolven met duizenden beelden uit het buitenland en over buitenlanders dan in dit digitale tijdperk. Rechtstreeks een oorlog volgen is allang niet meer bijzonder. Denk aan de eerste en de tweede Golfoorlog. De televisie vormt daarbij een van de belangrijkste bronnen van beelden die we elke dag consumeren. Voor de beeldvorming zijn we in toenemende mate afhankelijk van de beeldvormers, zoals de televisie, de kranten en het internet. Daarbij verschillen de passieve media, die de mensen primair willen informeren, zoals het Journaal, en de actieve media, die mensen willen overtuigen van hun kijk op de wereld, mening of hun product, zoals films en reclames, niet in hun effecten. Bij overmatig gebruik van mediaconsumptie verworden mensen tot passieve toeschouwers die de mediawerkelijkheid steeds meer als hun eigen werkelijkheid gaan beschouwen. Het beeld dat ze van de wereld om zich heen hebben en van de ander leiden ze rechtstreeks af van de media. Zo wordt de angst voor de islam door sommige media in deze tijd flink opgeklopt, waardoor kijkers terrorisme en islam gelijkstellen. Dat heeft een negatief effect op de communicatie met gesprekspartners met een moslimachtergrond.

Bij beeldvorming dichten mensen eigenschappen of kenmerken, in positieve of negatieve zin, toe aan een bepaalde doelgroep, die vaak erg eenzijdig belicht zijn. Beeldvorming bestaat zo voor het overgrote deel uit stereotiepe beelden. Op basis van deze eigenschappen baseren ze hun verwachtingen in de communicatie met de ander. Op het moment dat de communicatie niet verloopt volgens de verwachtingen hebben mensen altijd twee keuzes ter beschikking. Ze stellen hun beelden over de ander bij en daarmee hun verwachtingen. Of ze beschouwen de eigenschappen van de ander als een uitzondering. In het geval van de eerste keuze staan mensen open om nieuwe dingen van de ander te leren. In het geval van de tweede keuze wordt de negatieve beeldvorming instandgehouden en wordt de ontmoeting met de ander als uitzonderlijk getypeerd. Als bijvoorbeeld Henk, een docent, zijn nieuwe collega Abdel, die geboren is in Nederland, complimenteert met zijn beheersing van het Nederlands en daarna merkt dat Abdel zijn compliment niet waardeert, zal Henk zich afvragen wat hij verkeerd heeft gezegd. Uiteindelijk zou Henk, wijzer geworden door dit incident, kunnen besluiten om in het vervolg eerst te informeren naar hoe lang iemand met een buitenlandse naam in Nederland woont alvorens een compliment te maken over zijn of haar Nederlands.

Mijn indruk is dat de beeldcultuur op dit moment sterker is dan de schrijfcultuur. Eerst was er alleen beeld, toen taal en schrift en nu beeldtaal. Mensen nemen minder tijd om te lezen, dus worden zij steeds afhankelijker van wat beelden ons presenteren. Daarom lijken de media steeds machtiger te worden in deze tijd. Vaak worden zij naast de drie machten, volgens de leer van trias politica van de Franse filosoof Montesquieu (1689-1755), als vierde macht gezien. Zijn trias politica, de machtenscheiding, bestond uit de uitvoerende, de wetgevende en rechterlijke macht. De media oefenen vooral een controlerende macht uit.

De mediagoeroe McLuhan (1911-1980) dichtte al in de jaren zestig van de vorige eeuw de televisie een enorme macht toe door zijn uitspraak: *'The medium is the message'*. Met televisie kun je de opinie van mensen beïnvloeden. Als het gaat om mensen te motiveren geld te geven aan hongerend Afrika dan vinden wij het helemaal niet erg dat we een zeer simplistisch beeld van de werkelijkheid krijgen van allemaal hongerende kinderen. Als het echter gaat om een heel volk te misleiden door een propagandamachine die leugens verspreidt onder het volk om een oorlog te rechtvaardigen, staan wij op onze achterste benen. We worden dan kwaad als we ontdekken dat we misleid worden door valse beelden.

Los hiervan moeten we ons altijd afvragen hoe het mensbeeld wordt beleefd en hoe het wordt doorgegeven. We hebben gezien dat ook op het eerste gezicht de vrij onschuldige kinderliteratuur en strips kinderen vroegtijdig hardnekkige beelden inprenten van mensen die vanwege het anders zijn al bij voorbaat kwaad in de zin hebben of niet te vertrouwen zijn. Ten slotte moeten we nagaan of er significante verschillen en overeenkomsten zijn te ontdekken in de overdracht tussen de verschillende culturen. Alvorens we daaraan toekomen, moeten we ons eerst afvragen wat we onder cultuur verstaan.

2 Cultuur

2.1 Wat is cultuur?

Wat cultuur precies inhoudt is een eeuwenoude vraag die vooral de wetenschappers, van culturele antropologen tot filosofen, tot op de dag van vandaag bezighoudt. Er bestaan wel honderden definities van wat cultuur betekent. Bovendien is cultuur iets dat heel persoonlijk en met emoties wordt beleefd. Ik zal in dit hoofdstuk proberen te achterhalen wat aan cultuur zoal meer ten grondslag ligt. Ik doe dat door inzichten van cultuurdeskundigen te behandelen en stil te staan bij wat cultuur met ons doet.

Het feit dat voor het begrip 'cultuur' zoveel verschillende definities bestaan bewijst wel hoe moeilijk het is om het te vangen in één duidelijke afgebakende formulering. Elke afbakening doet de betekenis van cultuur tekort. Dat komt omdat cultuur een vrij breed begrip is, dat zich moeilijk laat vangen in woorden. Toch zal ik hier een poging wagen om het in elk geval te omschrijven. Cultuur heeft alles te maken met de manier waarop we betekenis geven aan onze omgeving. Welke betekenis we aan wie (denk aan profeten, helden of idolen) of wat (denk aan muziek, eigen dialect, dieren of statussymbolen, zoals een baan, auto of huis) geven is meestal historisch bepaald.

Door het beroemde bijbelse verhaal over Adam en Eva die in het paradijs door de duivelse slang in een boom verleid werden om van de verboden vrucht te eten, staat in veel culturen de slang als symbool voor list en bedrog. Tegelijkertijd staat in de meeste culturen 'de boom' voor kennis, groei, leven, vruchtbaarheid en wijsheid. Hoe we cultuur concreet invullen, verschilt ook door de natuurlijke omstandigheden van de omgeving, zoals de invloed van het klimaat op de bouwstijl en de functie die men een bepaald attribuut geeft. In Nederland bouwt men vaak een driehoeksdak op een huis, om zo de regen langs de pannen naar beneden te laten stromen. In Marokko, waar het gedurende het merendeel van het jaar droog en zonnig is, bouwt men vaker een huis met een plat dak om het te gebruiken als dakterras of om de was op te hangen.

In sommige delen van Indonesië bouwt men een huis op poten, omdat er slangen over het aardoppervlak kruipen.

Zoals eerder betoogd hebben de meeste beelden door hun lange historische context diepe sporen achtergelaten in onze cultuur. De cultuur op haar beurt kan pas mensen met elkaar verbinden als zij gevormd zijn door een gemeenschappelijke basis, zoals gezamenlijke ervaringen. Dat kan bijvoorbeeld een gedeelde geschiedenis zijn. Cultuur gedijt als bindmiddel tussen leden van een groep des te beter als zij op basis van hun ervaringen een gemeenschappelijk beeld hebben van hun omgeving en van de ander. Dit proces begint al bij wat kinderen van hun ouders en op scholen (moeten) leren. Iedereen is het erover eens dat cultuur belangrijk is voor de ontwikkeling van de mens, maar wat nou precies onder cultuur wordt verstaan weet niemand.

Zelfs cultuurdeskundigen hebben moeite om concreet aan te geven waar precies de grenzen van cultuur lopen. Pogingen die gedaan worden, stranden vaak in abstracte interpretaties van cultuur. Zo kan volgens Hofstede cultuur op twee manieren worden geïnterpreteerd. In enge zin betekent het 'beschaving', die bijvoorbeeld tot uiting komt in onderwijs en kunst. In brede zin is cultuur een 'mentale software', die ons denken en doen beïnvloedt (zie Hofstede, *Andersdenkenden*. p. 15). Cultuur in de tweede betekenis van Hofstede fungeert als een soort collectief bewustzijn. Zo zijn er talloze definities van cultuur te geven die qua vaagheid niet onderdoen aan die van Hofstede.

Natuurlijk kunnen we vaststellen dat iedereen zich het beste in zijn of haar eigen cultuur thuis en veilig voelt. Aan onze cultuur ontlenen we meestal ook onze eigen identiteit. Welke rol speelt cultuur bij de ontwikkeling van onze identiteit? Hoe concreet is cultuur? Kunnen we cultuur die uitgedragen wordt letterlijk zien hangen op de muren van de huiskamer? Of aan de manier waarop we ons kleden, lopen, eten, praten of aan de manier waarop de samenleving is ingericht of is cultuur veel abstracter? Bovendien is het nog de vraag wie nu bepaalt wat wel of niet onder cultuur verstaan moet worden: de elite of het volk? Op deze vragen zal ik in dit hoofdstuk een antwoord proberen te vinden.

2.2 Onderscheid nature en nurture

Welke rol cultuur speelt bij de ontwikkeling van onze identiteit kunnen we niet los zien van hoe de mens vanaf de geboorte wordt beïnvloedt. In de sociale wetenschappen wordt meestal gesproken over twee afzonderlijke zaken: *nature* en *nurture*. Nature heeft betrekking op de menselijke natuur en verwijst dus naar alle biologische factoren van de mens. Deze factoren worden weer bepaald door de genen die we van onze ouders erven. Nature wordt al bepaald als de zaadcel een eicel bevrucht en daaruit een embryo groeit. De staat van nature staat dus vanaf het prille begin van de mens al vast.

Nurture verwijst naar de cultuur waarin ieder kind opgroeit. Nurture heeft alles te maken met datgene wat we na onze geboorte aanleren. Door onze ouders, persoonlijke ervaringen en school. Dat zijn de factoren waarop we als mens, wanneer we willen, wel invloed kunnen hebben. Zo krijgt ieder mens vanaf zijn geboorte stembanden mee (= standaardcadeau van nature). Hoewel de meeste mensen leren praten, leert niet iedereen later zingen (= oefening is noodzakelijk), laat staan dat hij of zij over een zangtalent zou beschikken (= extra cadeau van nature) of er behoefte aan heeft (= extra inspanning). Dat geldt ook voor het leren spreken en schrijven. Leren spreken, schrijven en zingen horen volgens deze theorie bij nurture. Deze vaardigheden worden namelijk geleerd via oefening door opvoeding, scholing of algemene culturele ontwikkeling.

Het onderscheid tussen nature en nurture klinkt in theorie heel logisch en aannemelijk. In de praktijk doet dit onderscheid erg kunstmatig aan. Datgene wat we als mens bij onze geboorte 'gratis' meekrijgen (= nature) en datgene wat we (niet altijd gratis!) later (aan)leren (= nurture) kunnen we niet los van elkaar zien. Ze zijn onlosmakelijk met elkaar verbonden. We kunnen niets aanleren, zoals praten, zingen of hardop bidden als we geen mond of stembanden zouden hebben. We kunnen niet allemaal even mooi en zuiver zingen als in ons DNA het gen 'muzikaliteit' ontbreekt. We kunnen nooit wereldkampioen hardlopen worden als ons lichaam daar niet op gebouwd is. Een voorbeeld ter illustratie:

Hoe hard ook bijvoorbeeld een Nederlandse topatleet traint op de 3000 meter steeple (met hindernissen), de Afrikaanse hardlopers hebben - vanwege onder meer hun lichaamsopbouw - altijd nog een 'natuurlijke' voorsprong. Dit uit zich soms in wanhopige reacties, zoals die van de Nederlandse hardloper Simon Vroemen tijdens de Olympische Spelen in Athene van 2004. Na zijn zesde plaats op de 3000 meter steeple zei hij het volgende: 'Ze (= Afrikanen) trekken steeds maar weer een vat open en of ze nu Jantje, Pietje en Klaasje heten, ze zijn niet te kloppen.' (Uit *Trouw*, 25 augustus 2004).

Kortom: nature biedt ons in eerste instantie een kader dat we onmogelijk kunnen veranderen. Wat we wel kunnen doen is het exploreren van ons kader. Grenzen aftasten en vervolgens verleggen is het ontdekken waar je als mens nog meer toe in staat bent. Mensen die dat lukt, zoals uitvinders, ontdekkingsreizigers en kunstenaars, vormen onze cultuur van morgen. Wat cultuur betekent voor de mens zullen we hierna verkennen.

2.3 Cultuur als oorzaak of gevolg

We bevinden ons al gauw op glad ijs als we precies willen definiëren wat we wel en niet onder cultuur kunnen verstaan. Zelfs onder wetenschappers is er geen overeenstemming over wat cultuur precies inhoudt. Dat komt doordat de mens zelf zowel oorzaak als gevolg is van cultuur. Het geven van een definitie van cultuur is net zo absurd als het geven van een juiste en alomvattende definitie van wat de mens is. We kunnen de mens precies uittekenen en beschrijven, maar de mens is altijd meer dan alleen een aards wezen dat van water en voedsel afhankelijk is. De mens maakt cultuur mogelijk en cultuur beïnvloedt weer op zijn beurt de mens. De ene keer bepaalt de mens in de rol van consument de vraag naar cultuur. De andere keer bepaalt de mens in de rol van schepper het aanbod van cultuur. *'Mensen maken dingen waar niemand om gevraagd heeft en toch lijkt het de wereld te kunnen veranderen'*, is een citaat van een museumdirecteur die de paradox van beïnvloeding tussen mens en cultuur goed weergeeft. Mens maakt cultuur mogelijk en andersom.

Dialoog 5: Sinterklaas

Haroen: *Waar kom je oorspronkelijk vandaan?*

Elias: *Uit het prachtige oude Perzische rijk, het land van de scheppers van kunst en cultuur.*

Haroen: *Je bedoelt uit Iran waar het schaakspel ooit is uitgevonden?*

Elias: *Ja, schaakmat betekent 'sjah is dood'. Ook de Arabische 1001-nachtsprookjes komen uit deze supercultuur vandaan.*

Haroen: *Wat komt er niet vandaan, hè? Volgens jullie komt alles uit Perzië, toch?*

Elias: *Alleen Sinterklaas niet, want die komt uit Turkije.*

2.4 Cultuur als missie

Cultuur levert een bijdrage tot socialisatie van waarden en normen. Alle gedrag dat van onze aangeleerde normen en waarden afwijkt, vinden wij op zijn minst vreemd. We keuren het vaak af en soms volgt er straf. Tenminste, dat is wat we graag willen geloven en denken. We hebben al eerder vastgesteld dat sommigen nog verder gaan door te beweren dat de ene beschaving beter is dan de andere. Na de verschrikkingen van de Tweede Wereldoorlog zijn veel mensen wat bescheidener geworden. Nu vinden we zulke beweringen verwerpelijk. Toch zien we van dit superioriteitsdenken nog steeds erg veel voorbeelden. Zo was het bijna overal in het Westen in de jaren vijftig van de vorige eeuw heel normaal om de wereld in te delen in zij die de beschaving kenden en zij die nog beschaafd moesten worden. De meerderheid van de westerse bevolking had een openlijke negatieve attitude tegenover niet-westerlingen. In de Verenigde Staten was het in de jaren zestig onder veel wetenschappers heel normaal te denken dat niet-blanken en immigranten minder intelligent zouden zijn dan de autochtone blanke bevolking.

Dit denken over niet-westerlingen, dat tegenwoordig opnieuw aan populariteit wint, is vergelijkbaar met hoe de Arabieren in hun Gouden Periode ten tijde van de Middeleeuwen de wereld indeelde in dar as-Salaam, het huis van de vrede, en dar al-harb, het huis van oorlog. In het gebied van *'dar as-Salaam '* heerste de islam, dus vrede, orde en dus beschaving. In het gebied van *'dar al-harb'* heerste geen islam, dus oorlog, chaos en dus (nog) geen beschaving.

De Fransen hebben in het verleden deze simplistische wereldvisie ongewijzigd overgenomen van de Arabieren uit de Middeleeuwen. Zo wilde de Franse kolonisator met zijn *mission civilisatrice* zijn beschaving exporteren naar (lees: opleggen aan) de toenmalige kolonies als Algerije en Marokko. De introductie van de Franse cultuur zou vanzelf leiden tot meer beschaving bij de 'barbaren' in deze landen. Daarbij probeerden de Fransen een wig te drijven tussen bijvoorbeeld de Arabische Marokkanen en de Berberse Marokkanen. De Berbers zouden volgens de Fransen van oorsprong Europeanen zijn. Zij kregen de ruimte om hun eigen taal Amazigh te bestuderen. De voorouders van de Arabische Marokkanen stamden weer af van het nomadenvolk uit Arabië. Deze verdeel- en heerspolitiek heeft later geleid tot grote spanningen en wantrouwen tussen het volk van de Imazighen aan de ene kant en de Marokkaanse bevolking en de heersers van Arabische oorspong aan de andere kant. Deze negatieve effecten op de verhouding tussen Imazighen en Arabieren zijn tot vandaag de dag nog voelbaar in Marokko en Algerije.

Niet voor niets komt ongeveer tweederde van alle Marokkanen in Nederland oorspronkelijk uit Noord-Marokko, het Rifgebergte, waar voornamelijk Riffijnen wonen. Koning Hassan de tweede dirigeerde vanaf begin jaren zestig de Nederlandse mensen die gastarbeiders wierven bewust naar het Rifgebergte. Dat vonden de wervers op hun beurt niet erg, omdat ze zochten naar gehoorzame analfabete gastarbeiders. Wie te slim was, was ook voor de Nederlandse wervers maar lastig en maakte dus weinig kans om in Nederland te gaan werken. In het verleden hebben bewoners van het Rifgebergte voor veel onrust en strijd gezorgd. Met deze wervingsacties was de koning van de Riffijnen af. Nu, ruim dertig jaar later, heeft de voormalige koning het tegenovergestelde bereikt. De economie van Marokko is in toenemende mate afhankelijk geworden van het geld dat Marokkanen die in Europa werken, investeren in hun stad of dorp waar ze oorspronkelijk vandaan komen.

Een vergelijkbare ontwikkeling van een westers *beschavingsoffensief* is nu gaande in Irak. De Verenigde Staten hebben onder leiding van Bush het regime van Saddam Hussein verjaagd om daarna de waarden van vrijheid en democratie in te voeren in een gebied waar loyaliteit aan een stamhoofd het hoogste goed lijkt te zijn. Dat leidt onherroepelijk tot langdurige spanningen.

2.5 Cultuur in de praktijk

Wat we onder cultuur moeten verstaan is moeilijk in woorden te vangen, omdat cultuur vooral een gevoelskwestie is. Daardoor is cultuur altijd persoonlijk gekleurd. Wat de een onder cultuur verstaat vindt de ander maar bagger en omgekeerd. We kunnen wel gemakkelijk met aansprekende voorbeelden aangeven welke invloed cultuur heeft op ons dagelijks leven. Zo bepaalt cultuur hoe mensen moeten eten zoals het hoort, keurig praten en schrijven volgens de grammaticale regels en hoe ze zich netjes moeten kleden. Cultuur bestaat echter uit meer dan alleen het concreet opsommen van hoe het hoort, de zogenaamde normen. Normen in de vorm van (ongeschreven) regels en afspraken dwingen de mens zich aan te passen aan wat een groep mensen (het collectief) op een bepaald moment gezamenlijk besluit na te leven. Bij het naleven van deze afspraken volgt er meestal niets, omdat je gedrag als 'normaal' wordt beschouwd. Heel soms volgt er een compliment of een beloning. Bij het niet naleven, volgt er meestal kritiek, straf of verstoting. Hoe men hier concreet mee omgaat kan tussen twee culturen verschillen.

Een voorbeeld van een verschil tussen de Nederlandse en Marokkaanse cultuur kan dit verduidelijken. Nederland staat internationaal bekend als het land van zeer kritische mensen. De kritiek is zo extreem dat sommigen zelfs spreken van een goed ontwikkelde klaagcultuur. Marokkanen staan bekend als snelle complimentgevers, ook al heb je nog niets gepresteerd. Daar is de cultuur van overdrijving verder ontwikkeld. Na vijf minuten noemen ze je al hun beste vriend. Dat vinden Nederlanders weer overdreven.

2.6 Cultuur als richting

Cultuur bevat zeker ook waarden die de richting bepalen van de idealen van een groep mensen. De waarden die binnen een groep of samenleving gedeeld worden, kunnen ook conflicteren met elkaar. Zo lijken waarden als streven naar gelijkheid en daarmee naar uniformiteit en solidariteit enerzijds en vrijheid en daarmee naar diversiteit en onafhankelijkheid anderzijds tegenstrijdig te zijn. Deze tegenstrijdigheden kunnen leiden tot spanningen. De fractieleider van de PvdA, Wouter Bos, waarschuwt in zijn opiniestuk van 28 augustus 2004 in *de Volkskrant* dat een toenemende diversiteit de solidariteit onder druk zet. Een reden die hij noemt is dat uit recent onderzoek van onder meer de Vlaamse socioloog Elchardus blijkt dat *'we inderdaad in een samenleving terecht aan het komen zijn waar risico's niet meer iedereen in gelijke mate treffen maar het met name de lager opgeleiden zijn die te maken krijgen met een cumulatie van risico's: eerder ziek, eerder werkloos, eerder aan lager wal.'*

Behalve dat waarden kunnen conflicteren met elkaar kunnen dezelfde waarden verschillend ingevuld worden. De spanning die ontstaat tussen het recht op vrijheid van meningsuiting en het verbod op discriminatie, die beide in de Nederlandse grondwet verankerd zijn, is daarvan een voorbeeld. In dit verband kan verwezen worden naar het pleidooi van Pim Fortuyn (in *de Volkskrant* van 9 februari 2002) om artikel 1 van de grondwet af te schaffen. Daarmee pleitte hij indirect op de vrijheid van het discrimineren. Volgens hem mocht de Rotterdamse imam El Moumni hem gerust kwetsen door te preken dat 'homo's lager zijn dan varkens'. Maar dan mocht Fortuyn moslims ook kwetsen met zijn opmerking dat de islam 'achterlijk' is. Fortuyn citeert zelfs Voltaire om op te komen voor vrijheid van meningsuiting:

'Ik sta achter wat Voltaire zegt: "Ik kan uw mening nog zo abject vinden, maar ik zal uw recht verdedigen om die te uiten". Ik ben ook voor afschaffen van dat rare Grondwetsartikel: "Gij zult niet discrimineren". Prachtig. Maar als dat betekent dat mensen geen discriminerende opmerkingen meer mogen maken, en die maak je in dit land nogal snel, dan zeg ik: dit is niet goed. Laat mensen die opmerkingen maar maken. Er is een grens en die vind ik heel belangrijk: je mag nooit aanzetten tot fysiek geweld. Dat kan een rechtsstaat zich niet permitteren. Maar als een imam weet te vertellen dat mijn levenswandel volstrekt verwerpelijk is en beneden die van varkens ligt: oké, dan zegt hij dat maar.'

Zonder hierop verder in te gaan kan volstaan worden te melden dat Fortuyn door deze uitspraken vooral voor veel tumult in de media zorgde. Deze bovenstaande voorbeelden van botsende waarden geven aan hoe moeilijk het is om precies aan te duiden hoe waarden in een bepaalde cultuur, die door een collectief uit-gedragen wordt, worden ingevuld. Omdat waarden door ideolo-gische visies door leden van een collectief verschillend geïnter-preteerd worden, kunnen we in principe alle kanten op. Wat de een solidair noemt, noemt de andere asociaal. De vraag of wat goed of fout is voor één mens ook goed of fout is voor iedereen, houdt de mensheid al eeuwenlang bezig. Zijn er wel universele normen en waarden aan te wijzen? Volgens de koran wel. Zo wordt in de koran beweerd dat het doden van één mens gelijk-staat aan het doden van de hele mensheid. (koran, 5:32) Dit is niet slechts als een mooie metafoor bedoeld: het spoort mensen aan om bepaalde deugden in acht te nemen.

2.7 De vier belangrijkste deugden van een staat

Aan de ene kant van het spectrum bestaat cultuur uit alles vanaf wat en hoe we eten (concreet) tot hoe en wat we denken (ab-stract). Aan de andere kant wordt cultuur precies gedefinieerd. Laten we eerst cultuur in ruime zin behandelen. Het ontstaan van cultuur is bijvoorbeeld afhankelijk van de waarde die mensen hechten aan bepaalde deugden. De oude Grieken, bij monde van Socrates, onderscheidden binnen de ideale staat vier deugden: matigheid, moed, wijsheid en rechtvaardigheid (zie *De staat* van Plato, p. 220; IV 431-432). Volgens Socrates moet een staat in de volgende behoeften voorzien:

1   materiële behoeften
2   militaire behoeften
3   behoefte tot juist bestuur.

Vervolgens verbindt hij deze drie behoeften aan drie soorten klas-sen: de laagste, onwetende klasse, die bestaat uit boeren en am-bachtslui, de militaire klasse (wachters) en de heersende klasse, die bestaat uit filosofen die de staat besturen. In de ideale situatie is volgens Socrates matigheid de gewenste deugd bij de laagste klasse, moed bij de wachters en wijsheid bij de leiders. De deug-den matigheid, moed en wijsheid bevinden zich in metaforische zin in de (onder)buik, het hart en het hoofd. (Zie ook *Vrije ruimte* van Jos Kessels e.a., p. 28.) De metafoor van de buik slaat hier vooral op het bevredigen van de primaire levensbehoeftes zoals eten en drinken en (dierlijke) driften zoals seks. Als de buik rammelt, is dat het signaal voor de mens om te voldoen aan deze natuurlijke prikkel. De mens gaat op zoek naar eten. De drang naar eten en drinken kan in het dagelijkse leven geconditioneerd worden. We eten niet altijd omdat we trek hebben, maar omdat er pauze is of omdat we gewend zijn om op bepaalde tijden te eten. Rond zes uur moet er in Nederland gegeten worden. Wie aan de vastenmaand Ramadan meedoet, zal merken dat zijn maag zich instelt op een nieuw ritme van overdag niet eten en drinken.

Aan het begin van de vorige eeuw is de conditionering door de Rusische fysioloog Pavlov (1849-1936) met een experiment bewezen. Zoals bekend gaan veel honden kwijlen alvorens ze gaan eten. De hond van Pavlov kreeg in het begin eerst een paar keer de bel te horen voordat hij wat eten kreeg. De hond associeerde op een gegeven moment het rinkelen van de bel met het krijgen van eten. Deze conditionering was zo sterk dat hij zelfs begon te kwijlen zonder dat daar eten op volgde. De conditioneringtechnieken zijn vooral in zwang in de reclame- en propagandawereld. Om een auto te kunnen verkopen plaatsen reclamemakers naast de auto een vrouwelijk fotomodel. Het fotomodel bepaalt het gezicht van de auto. Het is een veel gebruikte verleidingstechniek in de marketing van producten. De associatie van een leuk fotomodel met een mooi model auto is veelal door de hitsige man snel gemaakt.

Deze actie-reactieprikkel is de mens dus niet vreemd. Tenslotte kent ook de mens deze dierlijke buikgevoelens. Kenmerkend aan deze gevoelens is dat de mens erg bezig is met de vraag hoe hij zo snel mogelijk van zijn honger- en dorstgevoel kan afkomen. Daardoor is de buik veelal met het heden bezig. Later leren mensen door beschaving dit natuurlijke gedrag te beheersen. Zouden we dat niet doen dan zouden we ons niet anders kunnen gedragen dan wilde beesten die slechts hun instincten volgen en alleen hun driften willen bevredigen. Doordat de mens over een ratio beschikt, kan hij zijn (onder)buikgevoelens beheersen en komen tot plichtsbesef. De Duitse filosoof Immanuel Kant (1724-1804), die in de westerse geschiedenis vaak als een groot filosoof wordt gezien, van het kaliber Aristoteles, Plato en Socrates, plaatste het begrip 'plicht', dat door verstand wordt bereikt, tegenover 'neiging', dat door gevoel wordt geleid (zie ook deel 2 *Geschiedenis van de filosofie* van Störig, p. 57). Volgens Kant kunnen we onze gevoelens, natuurlijke neigingen, nooit gebruiken als maatstaf voor wat goed en kwaad is. Kant bedacht drie basisvragen die voor een doorbraak zorgden in de filosofie. Wat kan ik weten? Wat moet ik doen? Wat mag ik hopen? Zelf geïnspireerd door deze Kantiaanse vragen verbind ik de drie deugden met de volgende vragen: Wat doe ik? Wat wil ik? Wat kan ik?

Ik wil hier telkens een basisvraag linken aan achtereenvolgens het verlangen van de buik, de ambitie of idealen van het hart en de besluiten van het hoofd. Zo zou ik bij de (onder)buik de vraag 'wat kan ik?' kunnen plakken, omdat de buik voortdurend bezig is om de lichamelijke behoeftes tegemoet te treden. Eigenlijk is de vraag: 'Wat kan ik doen om mijn primaire behoeftes en driften te bevredigen?' De buik is daarbij beperkt door de keuze van het aanbod. Iemand die trek heeft, kan bijvoorbeeld patat eten of een appel gaan nuttigen. Soms is er geen aanbod en lijdt de mens honger. De natuurlijke neiging van ieder mens om te overleven maakt dat hij er alles aan zal doen om geen dorst en honger te hebben. Net als alle dieren weet ook de mens dat hij op den duur sterft wanneer hij niet op zoek gaat naar drinken en eten.

De tweede deugd, moed, zetelt in het hart. Het hart wil graag gehoor geven aan zijn gevoelens en wensen om bepaalde ambities te bereiken. Het hart is daardoor sterk gericht op de toekomst. Daarbij past heel goed de vraag: 'Wat wil ik?' Zodra zo'n vraag wordt gesteld, kunnen ook abstracte waarden nagestreefd worden, zoals (meer) respect, waardering, erkenning of (verdediging van) eer.

Het hoofd is voortdurend bezig om in het heden besluiten te nemen over wat te doen in de toekomst. De beste besluiten worden op basis van het verleden genomen. Besluiten worden genomen aan de hand van de vraag: 'Wat doe ik?' Bij het nemen van een besluit betrekt het hoofd zowel de belangen van de buik als het hart.

De laatste deugd, rechtvaardigheid, wordt bereikt wanneer de perfecte balans tussen deze drie deugden is gevonden. Daarbij past heel goed een waaromvraag. Deze vraag leidt tot reflectie over het eigen handelen: 'Waarom handel ik zo?' Daarnaast past ook een open vraag zoals: 'Welke gevolgen heeft mijn handelen voor mij en de ander?' Het resultaat van genieten, bereiken en beslissen leidt tot een afweging. Het doel is altijd om de juiste balans te vinden in deze soms conflicterende vragen. Duidelijk is dat het hart het grootste bereik heeft, omdat het willen zowel het kunnen als doen overstijgt. Wat we (moeten) doen sluit immers bij lange na niet altijd aan wat we graag (zouden) willen of kunnen. Daarnaast kunnen we wellicht meer dan wat we doen. Omdat we worden beperkt in tijd en ruimte worden we gedwongen keuzes te maken. Dus doen we uiteindelijk toch minder dan we kunnen. Zo bezien streeft het hart naar een bepaalde waarde, de buik naar een bepaald belang en het hoofd maakt uiteindelijk een afweging tussen de waarde en het belang. We zouden het als volgt kunnen uittekenen; drie cirkels, waarvan de grootste cirkel de vraag 'wat wil ik?' behelst en de kleinste cirkel de vraag 'wat doe ik?' Tussenin zit de vraag 'wat kan ik?' De waaromvraag houdt deze cirkels in balans.

Grootste cirkel	: hart, wat wil ik?
Middelste cirkel	: buik, wat kan ik?
Kleinste cirkel	: hoofd, wat doe ik?

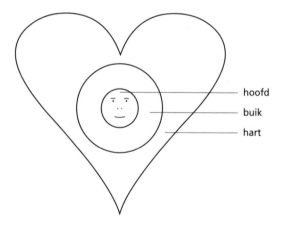

— hoofd
— buik
— hart

Figuur 2.1   Schematische weergave van het bereik van hart, buik en hoofd

2.8 Cultuur als identiteitsvormer

Het begrip cultuur is in brede zin ruim aan bod gekomen. Nu wil ik cultuur benaderen in enge zin. Als een nauwkeurige vastomlijnde definitie, zoals die van auteur Edwin Hoffman (*Interculturele gespreksvoering*, p. 27):

'Cultuur is dan te omschrijven als de gemeenschappelijke wereld van ervaringen, waarden, symbolen, praktijken en kennis die dat ene bepaalde sociaal systeem kenmerkt.'

Soortgelijke definities, zoals die van Hoffman, komen ook voor bij andere deskundigen, zoals bij Hofstede. Enge definities van cultuur bevatten altijd minimaal de woorden 'waarden en praktijken'. De waarden, die vaak samenvallen met idealen, worden meestal concreet vertaald in rituelen of geïdentificeerd met bepaalde persoonlijkheden die in een cultuur een heldenstatus of hoog aanzien genieten. De concrete vertaling wordt meestal als 'voorbeeld' of 'norm' gehanteerd. Enge definities van cultuur zijn handig om te hanteren, omdat ze ons in een paar kernwoorden een overzicht geven van wat cultuur is. Ze zullen echter nooit de hele lading van hetgeen cultuur is kunnen dekken.

Nu ik cultuur zowel in brede als enge zin heb behandeld, wil ik stilstaan bij cultuur als identiteitsvormer.
De identiteit van mensen, wie we (willen) zijn, wordt in belangrijke mate gedomineerd door de invloed van cultuur. De cultuur komt voort uit de basisbehoeften van de mens om zichzelf in zowel materiële als geestelijke toestand verder te ontwikkelen. We hebben gezien dat Socrates binnen de ideale staat drie niveaus van behoeften onderscheidt: materiële behoeften, militaire behoeften en behoefte tot juist bestuur. De Amerikaanse psycholoog Abraham Maslow (1908-1970) onderscheidt in zijn behoeftehiërarchie, in de vorm van een piramide, vijf stadia van menselijke behoeften.

1	Primaire behoeften, zoals eten, drinken en slaap.
2	Behoefte aan veiligheid, orde, stabiliteit en zekerheid.
3	Behoefte aan sociale acceptatie, liefde en genegenheid.
4	Behoefte aan waardering en respect.
5	Behoefte aan zelfontwikkeling.

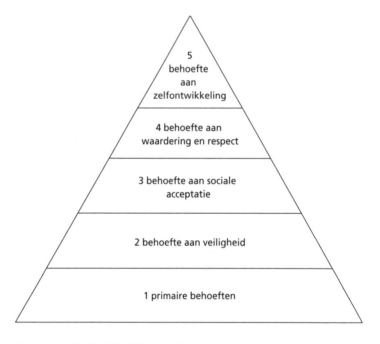

Figuur 2.2   Behoeftenhiërarchie van Maslow

Als we de piramide goed bestuderen, zien we een lineaire lijn lopen van het westerse denken, over onder meer de behoeftes van massa en elite. Vanaf de grond begint dit denken eerst breed en dan stap voor stap loopt het naar de top toe steeds smaller. Lineair denken is eerst stap 1 verwezenlijken, dan met stap 2 beginnen, enzovoort. Zo bestaan er hoge en lage menselijke behoeften. Zolang mensen onderaan de piramide nog steeds honger, dorst en slaap hebben, zullen ze niet verder klimmen naar boven. Denken over wie ze eigenlijk zijn, kunnen de mensen die onderaan of in het midden van de piramide bungelen vergeten. Het hoogst haalbare doel in de behoeftepiramide is zelfverwezenlijking, ontwikkelen van de eigen kwaliteiten. Op die top kan men zijn of haar emancipatie ten volle benutten. Dit doel vormt tevens de belangrijkste waarde die veel westerlingen ook nastreven: de vrijheid om met jezelf bezig te zijn. Een aantal westerse geleerden, zoals Hofstede, vraagt zich af of niet ook andere behoeften aan Maslows model kunnen worden toegevoegd, zoals respect, harmonie, gezicht en plicht (*Andersdenkenden*, p. 159).

In veel oosterse culturen is namelijk niet zelfverwezenlijking maar zelfopoffering (je eigen 'ik' totaal wegcijferen in het belang van de gemeenschap, het familielid of de hogere macht) het allerhoogste doel. Daar zou dit streven naar zelfverwezenlijking juist onderaan de behoefteladder staan.

Daarom klopt dit lineaire denken zeker niet voor alle culturen. Een indianenstam of Afrikaanse stam die elke dag moet vechten om in zijn levensonderhoud te voorzien (stap 1 is niet bevredigd) en weinig veiligheid kent (stap 2 is niet bevredigd) kan toch tevreden zijn met het feit dat de leden van de stam elkaar nog hebben (stap 3 is bevredigd) en respect krijgen van hun stamgenoten (stap 4 is bevredigd). Komen bij stap 5 (met jezelf bezig zijn) is niet alleen voorbehouden aan mensen die hun behoeften op lager niveau naar tevredenheid bevredigd hebben. Vaak is het juist net andersom. Mensen die hun buik vol hebben, vragen zichzelf niet altijd af wie ze zijn en waarin zij geloven. Hier is wel een verschil te ontdekken tussen mensen met een sterke identiteit, zij die zelfstandig nadenken en eigen beslissingen durven te nemen, en mensen met een zwakke identiteit die bang zijn om na te denken en hun lot in de handen van de ander leggen.

Een voorbeeld van iemand met een sterke identiteit is Socrates. Hij dronk de gifbeker leeg vanwege zijn principes. Volgens Plato, die geloofde dat we in werkelijkheid als geesten bestaan en maar tijdelijk in onze lichamen wonen, had Socrates ook een andere reden om uit de gifbeker te drinken. Hij snakte namelijk naar de dood, omdat hij daardoor bevrijd was van zijn lichamelijke incarnatie. Plato's geloof, dat we voor onze geboorte al bestonden en na onze dood gewoon blijven bestaan, vindt nog steeds weerklank onder mensen uit voornamelijk oosterse culturen die bijvoorbeeld door het boeddhisme zijn beïnvloed.

2.9 Conclusies

Wat we precies onder cultuur moeten verstaan weet niemand. Toch weet iedereen wel dat het bestaan van culturen essentieel is voor de ontwikkeling van de mens in het bijzonder en de menselijke beschaving in het algemeen. Daarom koesteren we allemaal graag onze eigen thuiscultuur waar we ons het prettigst voelen, omdat daarin ons denken en doen het beste gedijen en we zo tot ons recht komen. Dat dezelfde cultuur, waar we zo vaak lyrisch over kunnen zijn, ons denken en doen vanaf onze vroege jeugd beïnvloedt, vergeten we gemakshalve. Cultuur vormt namelijk onze identiteit: wie we (willen) zijn. De wijze waarop een mens cultuur verwerft, verschilt hemelsbreed tussen grofweg de westerse en oosterse visies op kennis en wijsheid. Over het algemeen gelooft men in de westerse wereld dat cultuur en dus ook je identiteit aangeleerd is. Kennis en inzichten verwerven zijn daarbij de sleutelwoorden: je kunt leren je identiteit te ontwikkelen door te studeren en zelfstandig en onafhankelijk na te denken. Zo bezien kun je alleen ontdekken wie je bent als je jezelf in het middelpunt van de belangstelling plaatst en je voortdurend voedt met kennis.

In de oosterse wereld gelooft men dat de ontwikkeling van je identiteit uiteindelijk van bovenaf, bijvoorbeeld met de hulp van geesten, wordt gestuurd of soms zelfs bepaald. Wijsheid en ervaringen delen zijn daarbij de sleutelwoorden: ervaren wie je bent kun je alleen bereiken door je over te geven aan de hogere macht(en). In het Arabisch is er zelfs een apart woord voor 'overgave aan de hogere macht (God)': islam. In deze oosterse optiek is uiteindelijk niet de aardse kennis belangrijk, want die is waardeloos als je doodgaat, maar geestelijke kennis en wijsheid neem je mee als je verhuist naar de wereld van de geesten.

Hoewel beide visies uiteindelijk sowieso leiden tot meer kennis kunnen we concluderen dat de wijze waarop men dit wil bereiken erg veel van elkaar verschilt. In de westerse optiek word je aangespoord zelf te zoeken naar de bron van kennis en rechtstreeks uit deze inhoud te drinken. In de oosterse optiek heb je altijd bemiddelaars en mediums, zoals geestelijken, wijze mensen, heiligen of geesten nodig om in contact te komen met de hogere macht: de bron van kennis. De 'ware' inhoud kan zo alleen via de keuze van de juiste vorm bereikt worden. Deze verschillen sluiten aan bij de boodschap van dit boek: de vergelijking die we eerder hebben gemaakt tussen de Aristoteles-georiënteerde culturen (westerse visie) en de Plato-georiënteerde culturen (oosterse visie).

Dit verschil in denken over cultuurverwerving en identiteit heeft gevolgen voor de ontwikkeling van de mens en het aannemen van een actieve of passieve houding. In de westerse wereld gelooft men dat het individu door hard te studeren en te werken vanzelf beschaving leert. Dat vereist een assertieve en actieve opstelling om kennis te vergaren. In de oosterse wereld gelooft men dat samen bidden of mediteren je eigen 'ik' ontplooit. Dat vereist een bescheiden en passieve opstelling om wijsheid te ontvangen. In beide werelden moeten kinderen door onder andere hun ouders worden opgevoed in wat ze minimaal moeten weten en leren aan vaardigheden, waarin ze moeten geloven, welke werkafspraken ze moeten (op)volgen en welke doelen ze (moeten) nastreven.

Geloven in onze idealen, ons houden aan onze afspraken en het stellen van onze doelen vormen onze culturele setting. Daaraan passen we ons gedrag weer aan. De invulling van deze setting bepaalt voor het grootste deel hoe we met de ander communiceren. Voordat we daar aan toekomen licht ik eerst het verschijnsel communicatie toe.

3 Communicatie

3.1 Wat is communicatie?

Communicatie vindt minimaal plaats tussen twee personen. Volgens Watzlawick c.s. (1974, p. 39) kun je onmogelijk niet communiceren. Ook zwijgen is volgens hem een vorm van communicatie. In de communicatiewetenschappen spreekt men bij communicatieoverdracht meestal van een zender en een ontvanger. De zender wil een boodschap overbrengen aan de ontvanger. De zender is geslaagd in zijn boodschapoverdracht als de ontvanger zijn boodschap begrijpt zoals de zender het bedoelt. Honderd procent wordt nooit gehaald. In welke mate, procentueel gesproken, de ontvanger de zender dan wel kan verstaan en wil begrijpen ligt aan een aantal factoren. Tot de belangrijkste factoren behoren het spreken van dezelfde taal, het delen van dezelfde dominante culturele achtergrond, het beheersen van de communicatieve vaardigheden, zoals helder formuleren en de houding die men ten opzichte van elkaar aanneemt. De houding kan open of gesloten zijn. Naarmate de zender meer weet van de boodschapper zal de zender steeds beter in staat zijn om zijn boodschap goed over te brengen.

Vanaf de eerste helft van de vorige eeuw geloofde men in de almacht van de media. De overheersende opvatting, die later bekendstond als de injectienaaldtheorie, was dat de media op eenvoudige wijze de (domme) massa konden beïnvloeden door ze op te opvoeden, te manipuleren of ze met propaganda aan te zetten tot een oorlog. Dit geloof wordt nog eens versterkt door de kwalijke inzet van de media voor het klaarstomen van de geesten voor zowel de Eerste als de Tweede Wereldoorlog. Nog steeds zijn er mensen die in de almacht van de media, en dus ook in de injectienaaldtheorie, geloven. Zij geloven inderdaad dat de zender allerlei informatie, denkbeelden, leugens en zelfs gif in het brein van de boodschapper kan pompen: kortom de publieke opinie beïnvloeden zonder dat de boodschapper het in eerste instantie doorheeft. Zij verwijzen onder meer naar de schadelijke invloed die de uitzending van sommige uit de duim gezogen verhalen van bijvoorbeeld Jules Croiset en Marie L. in de media kunnen hebben op de publieke opinie.

De Nederlandse en Franse media zonden de door Jules Croiset verzonnen ontvoering in 1987 en de mishandeling van Marie L. in 2004 door een bende Noord Afrikanen uit zonder eerst na te gaan of hun verhalen wel klopten. Gevraagd naar de reden van hun verzinsels antwoordden zowel Jules Croiset als Marie L. dat zij op deze wijze aandacht vroegen voor het in hun ogen opkomende antisemitisme. Zo protesteerde Jules Croiset met zijn ontvoering tegen de opvoering van het omstreden toneelstuk van Rainer Werner Fassbinder: *Het Vuil, de Stad en de Dood*. Dit toneelstuk veroorzaakte een grote commotie in Nederland.

Deze commotie is qua heftigheid vergelijkbaar met de in het najaar van 2000 in Rotterdam afgelaste opera 'Aïsja'. Vanwege heftige protesten van oerconservatieve moslims (het stuk zou volgens hen anti-islamitisch zijn) trokken de in Marokko gerekruteerde toneelspelers zich terug en werd het toneelstuk afgelast. Daarna volgde een heftig debat over respect voor de islam en de vrijheid van de kunstenaars.

Volgens Croiset zouden in dat gewraakte stuk van Fassbinder antisemitische uitspraken voorkomen. Bij Marie L. is het nooit echt opgehelderd of zij met haar actie nog een concrete zaak diende. Als eenmaal de waarheid naar boven komt, worden mensen snel verontwaardigd en boos, omdat ze misleid zijn. Ondertussen hebben de leugens van Croiset en Marie hun doel bereikt: aandacht (weliswaar negatief, maar toch) voor het probleem van het antisemitisme. Ondanks deze mediablunders van de eerste orde geeft de injectienaaldtheorie een te eenzijdig beeld van de werking van de communicatie. Eenzijdig, omdat het uitgaat van een starre relatie tussen zender en ontvanger, waarbij de ontvanger als de 'goedgelovige passieve naïeveling' altijd alles gelooft wat de zender beweert.

De injectienaaldtheorie geeft zo een zeer simplistisch communicatiemodel weer. De zender speelt volgens dit model alleen een actieve rol en de ontvanger alleen een passieve rol. Dat is onjuist, omdat degene die een boodschap incasseert ook een inspanning moet verrichten om de boodschapverstrekker te kunnen en te willen begrijpen. Daarnaast kan de boodschapontvanger zelf besluiten niet te luisteren naar de boodschapverstrekker. Is de boodschapontvanger wel bereid om te luisteren, dan zal hij niet alleen zijn oren spitsen om de boodschap goed te kunnen horen, maar zal hij, in metaforische zin gesproken, ook signalen oppikken die hij observeert van de boodschapverstrekker. Iemand die een mop vertelt, zal een andere mimiek en houding aannemen dan iemand die verslag doet van een ramp. De boodschap is dus niet alleen afhankelijk van de taalkeuze, maar ook de aard van de boodschap en de lichaamshouding spelen een belangrijke rol.

Daarom moet de boodschapverstrekker omgekeerd niet alleen pratend zijn boodschap communiceren, maar ook op signalen letten van zijn boodschapontvanger. Aan de hand van de lichaamstaalsignalen kan de boodschapverstrekker controleren of de boodschapontvanger zijn verhaal wel kan volgen. Een boodschapontvanger die tijdens het gesprek gaapt kan twee signalen geven. Hij geeft uitdrukking aan zijn vermoeidheid of hij heeft weinig interesse of trek in de boodschap. Om te kunnen achterhalen of de boodschapontvanger gaapt uit vermoeidheid of verveling zal de boodschapverstrekker kunnen stoppen met zijn boodschapoverdracht en vragen kunnen stellen. In die zin klopt inderdaad het verhaal dat God de mens niet voor niets twee oren heeft gegeven en één mond. Twee keer zoveel luisteren als praten is voor minimaal twee mensen die elkaar willen begrijpen een eerste voorwaarde.

3.2 Wat is de relatie tussen cultuur en communicatie?

Volgens de Duitse filosoof Ludwig Wittgenstein (1889-1951) geven mensen door middel van taal altijd zelf betekenis aan hun werkelijkheid. In deze zin begrenst taal ons denken. We kunnen onmogelijk nadenken over dingen waarvoor we nog geen woorden hebben. Wittgenstein waarschuwt de mens voor gezever of abracadabra in de ruimte met zijn stelling: *'Waarvan men niet spreken kan, daarover moet men zwijgen'.* De stelling van Wittgenstein dat taal ons denken beperkt, kunnen we heel goed doortrekken naar de beleving van cultuur. Mensen kunnen zelf ook betekenis geven aan hun cultuur. Het is telkens de mens die bepaalt welke plaats taal of cultuur heeft in zijn leven. Dit brengt ons tot een pittige uitspraak van een aantal taalexperts waartoe

Kees Versteegh behoort: *'Talen bestaan helemaal niet autonoom'*. Deze uitspraak geldt volgens mij ook voor cultuur en communicatie. Cultuur bestaat, net als communicatie, namelijk niet zonder dat er mensen zijn die daaraan een betekenis geven of ontlenen.

Als twee mensen een dialoog voeren en ze allebei het gevoel hebben dat ze door de ander juist begrepen worden, delen ze op dat moment behalve *'mutual understanding'* (= wederzijds begrip) ook een gemeenschappelijke cultuur. Hoe groter de culturele afstand tussen twee mensen, zelfs al spreken ze een gemeenschappelijke taal, des te groter is de kans op ruis in hun communicatie. Cultuur is ook communicatie. Taal is daar een concrete uitingsvorm van. Taal is een communicatiemiddel dat wordt gebruikt om cultuur met elkaar te delen.

Dialoog 6: Communicatie

Ria: *In deze inburgeringsles gaan we praten over 'communiceren met kinderen'.*
Rkia: *Wat is communiceren?*
Ria: *Communiceren is vooral goed luisteren naar elkaar.*
Rkia: *Luisteren is communiceren?*
Ria: *Nee, communicatie is meer. Communicatie is in één taal spreken. Alleen door een goede mix van luisteren naar elkaar en praten met elkaar kunnen we elkaar goed verstaan.*
Rkia: *Oh, ik begrijp, maar mijn kinderen verstaan mij niet altijd goed.*
Ria: *Dat komt natuurlijk doordat zij dan niet goed naar jou luisteren.*
Rkia: *Nee, mijn kinderen praten twee talen door elkaar, het Marokkaans en Nederlands.*

3.3 Conclusies

De beroemde Amerikaanse taalkundige en publicist Noam Chomsky heeft de zegen van de taal voor de mens kernachtig uitgedrukt in zijn inmiddels gevleugelde uitspraak: *'Vogels hebben vleugels gekregen en de mens de taal'*. In de jaren tachtig van de vorige eeuw baarde Noam Chomsky opzien in de wetenschappelijke wereld met zijn theorie van het bestaan van een universele grammatica. De ontdekking van zijn generatieve grammatica is mede te danken aan zijn nieuwsgierigheid naar zijn joodse achtergrond. Als native speaker van het Engels wilde hij graag het Hebreeuws als tweede taal leren, dat uit dezelfde Semitische taalfamilie voortkomt als het Arabisch. Via deze studie kwam hij op het idee dat in de basis elke taal dezelfde onderliggende structuur heeft. Als dat zo zou zijn, kon je volgens Chomsky taal aan wiskundige regels onderwerpen.

> Op zich is het niet heel vreemd dat Chomsky op dit idee is gekomen, omdat veel Semitische talen, zoals het Arabisch, uit regels bestaan die op wiskundige formules lijken. Zo kunnen uit de drie medeklinkers k-t-b, die in de basis verwijzen naar 'schrijven', door toevoeging van klinkers en medeklinkers in verschillende combinaties (voor, achter of tussenin) diverse betekenissen krijgen, zoals KiTāB (boek), KāTiB (schrijver), maKTūB (lot). De volgorde van k-t-b blijft altijd gehandhaafd.

Volgens zijn opvatting kon je aan de hand van de studie van één taal, bijvoorbeeld het Engels, komen tot universele taalkundige uitspraken. Dat was toen een revolutionair idee, omdat hij taalonderzoeken geschikt maakte voor kwantitatieve benadering. Dat was vloeken in de kerk onder de taalkundigen, omdat taal net als gedrag als een sociaal verschijnsel werd bestudeerd. Tot dan toe heerste daarom onder de meeste taalkundigen het idee dat het onmogelijk zou zijn een universele grammatica te ontdekken omdat talen zo divers en talrijk zijn.

Zou de theorie van Chomsky ook voor het verstaan van dieperliggende structuren van culturen gelden? Is het mogelijk om aan de hand van het bestuderen van één cultuur in al haar facetten een uitspraak te doen over alle wereldculturen in de wereld? Dit zijn vragen waarmee we ons gaan bezighouden als we interculturele en cultuurbepaalde communicatie onder de loep gaan nemen.

4 Interculturele en cultuurbepaalde communicatie

4.1 Wat is interculturele communicatie?

In de literatuur bestaat geen overeenstemming in wat we onder interculturele communicatie precies moeten verstaan. Er bestaan talloze definities die ik verderop zal toelichten, maar één eenduidige en allesomvattende definitie ontbreekt. Dat is ook niet mogelijk, omdat het begrip interculturele communicatie als autonome identiteit, net als taal, cultuur en communicatie, helemaal niet bestaat. Wil het een betekenis krijgen dan moet het altijd verbonden worden met een bepaalde (wetenschappelijke) discipline, zoals transculturele hulpverlening, filosofie, communicatiewetenschappen, psychologie, antropologie, enzovoort. Dat verklaart wellicht de grote verwarring die vaak bestaat over interculturele communicatie. Daarnaast zijn de meeste definities die sommige auteurs op het gebied van interculturele communicatie geven zo breed en abstract geformuleerd, zoals Pinto dat doet (zie *Interculturele communicatie*, 1994, p.14), dat het begrip interculturele communicatie niet duidelijk wordt.

4.2 Wat is cultuurbepaalde communicatie?

Omdat interculturele communicatie een vrij breed domein omvat, spreek ik liever over het specifieke begrip cultuurbepaalde communicatie. Deze vorm van communicatie geeft aan waar het over gaat: communicatie die door cultuur is bepaald. Het kan als volgt worden gedefinieerd: *'Alle communicatie, waarbij cultuurverschillen op het gebied van waarden en belangen een rol (kunnen) spelen tussen minimaal twee gesprekspartners'*. Deze werkdefinitie is afgeleid van het doel en nut van een verbeterde communicatie tussen mensen van verschillende culturen. Het doel is namelijk om via het verwerven van inzichten in de invulling van waarden en belangen die cultuurbepaald zijn, de communicatie van de ander beter te begrijpen en daarbij de juiste houding aan te nemen. Om een duidelijk idee te krijgen van de manier waarop over het brede begrip interculturele communicatie wordt gedacht en geschreven volgt hierna eerst een overzicht van inzichten van een aantal deskundigen.

4.2.1 Inzichten deskundigen interculturele communicatie

In de Nederlandstalige literatuur over interculturele communicatie worden vooral de inzichten van de volgende bekende auteurs behandeld of regelmatig geciteerd: Andreas Eppink, David Pinto, Hans Kaldenbach, Geert Hofstede, W.A Shadid en Edwin Hoffman. Ik zal eerst de vier bekendste interculturele communicatiemodellen en theorieën eruit lichten: Eppink, Pinto, Hofstede en Hoffman. Daarna deel ik hun inzichten in drie gehanteerde methodes, waarna ik ze één voor één van kritische reflectie voorzie. Ten slotte ga ik op zoek naar het generieke in de communicatiepraktijken. Daarbij is de vraag welke waarden achter de cultuurbepaalde communicatie schuilgaan leidend.

4.2.2 Vier interculturele communicatiemodellen nader toegelicht

ANDREAS EPPINK

Al in 1986 verbond Andreas Eppink in zijn boek *Cultuurverschillen en communicatie* de *wij-cultuur* en *ik-cultuur* met impliciete communicatie of expliciete communicatie. Zo komt hij tot vier cultuurtypen. Ik licht hier de twee varianten eruit die precies de tegenpolen van elkaar zijn. In een wij-cultuur met impliciete communicatie (A) is de vorm van de boodschap belangrijker dan de inhoud. Bij een ik-cultuur met expliciete communicatie is de inhoud belangrijker dan de vorm (D). Als het gaat om opvattingen over het ik vermeldt Eppink bij cultuurtype A het woord passief en bij cultuurtype D het woord actief. Zo bezien communiceert men in de westerse culturen, waar het individu centraal staat, in het algemeen op expliciete wijze (type D). In de niet-westerse culturen (type A) prefereert men de impliciete communicatie.

Wij-cultuur	**A (passief)**	B
Ik-cultuur	C	**D (actief)**
	impliciete communicatie	expliciete communicatie

Figuur 4.1 **Cultuurtypen volgens Eppink (zie** *Cultuurverschillen en communicatie.* **1986, p. 25)**

Deze constatering van Eppink gaat niet altijd op, omdat leden of groepen van dezelfde cultuur kunnen afwijken van de heersende dominante opvatting over de wijze van communicatie. Terwijl in de Nederlandse cultuur het welzijn van het individu vooropstaat en de Nederlander in het buitenland bekendstaat als recht voor zijn raap (dus cultuurtype D dominant) zijn er genoeg Nederlanders die, en niet alleen op het platteland, toch de voorkeur geven aan een groepsgevoel en impliciete communicatie (dus voorkeur voor cultuurtype A). Dit is precies de reden waarom het niet gewenst is om bij de communicatie de ander die deel uitmaakt van zijn of haar oorspronkelijke dominante cultuur, bij voorbaat eigenschappen toe te dichten die eigen zijn aan de dominante cultuur. Overigens waarschuwt Eppink zelf dat 'het schema is bedoeld als hulpmiddel, niet als een rigide beschrijving van tegenstellingen'. (zie Eppink, p. 23)

Eppink baseert zijn theorie op het werk van Mary Douglas (1976) die beweert dat mensen uit de welvarende geïndustrialiseerde landen meer belang hechten aan communicatie op inhoudsniveau dan op betrekkingsniveau. Omgekeerd geldt dat mensen in landen waar industrie ontbreekt of weinig ontwikkeld is de voorrang geven aan communiceren op betrekkingsniveau. Nemen we Japan als voorbeeld dan klopt de stelling van Douglas niet. Ondanks de Japanse welvaart en hoogontwikkelde industrie, hechten Japanners nog steeds zeer aan de vorm van de communicatie. Denk aan het in ere houden van de formele begroetingsrituelen en gehoorzaamheid aan superieuren.

GEERT HOFSTEDE

Aan de hand van een vragenlijst aan IBM-personeel uit 64 landen heeft Geert Hofstede scores gemeten en vergelijkingen gemaakt tussen landen op een aantal cultuurdimensies, zoals hoe men omgaat met mensen met macht, de mate van integratie van een individu in een groep, de kijk op de rol van man en vrouw, het vermijden van onzekerheden, het geloof in eigen waarheid en de oriëntatie op korte en lange termijn. Hieronder volgt kort de behandeling van deze vijf dimensies en zijn stappenplan tot het leren intercultureel te communiceren.

1   machtsafstand
2   individualisme versus collectivisme
3   masculiniteit-feminiteit
4   onzekerheidsvermijding
5   lange- versus kortetermijnoriëntatie.

Ad 1 De machtsafstand kan groot of klein zijn. Volgens Hofstede heeft dit te maken met de mate waarin de minder machtige leden van instituties en organisaties in een land verwachten en accepteren dat de macht ongelijk is verdeeld (zie *Andersdenkenden*, p. 43). In het kort komt het erop neer dat daar waar ongelijkheid tussen mensen als vanzelfsprekend wordt ervaren er culturen heersen met een grote machtsafstand. Daar waar men streeft naar gelijkheid tussen mensen, heersen culturen met een kleine machtsafstand.

Ad 2 De mate van individualiteit en collectivisme in een cultuur verwoordt Hofstede in relatie met communicatie als volgt (*Andersdenkenden*, p. 81):
'In een individualistische cultuur hebben mensen die elkaar ontmoeten behoefte aan verbale communicatie. De conversatie kan afschuwelijk banaal zijn, maar men ontkomt er niet aan. Stilte wordt als abnormaal beschouwd. In een collectivistische cultuur is het samenzijn zelf emotioneel bevredigend. Men voelt zich niet verplicht iets te zeggen tenzij er informatie overgebracht moet worden.'

Ad 3 De mate van masculiniteit of feminiteit wordt in een cultuur bepaald door de manier waarop men over het algemeen vrouwelijke eigenschappen, zoals zorg en bescheidenheid en de mannelijke eigenschappen, zoals assertiviteit en competitie, waardeert (zie ook p. 108).

Ad 4 In een cultuur met een sterke onzekerheidsvermijding streeft men naar uniformiteit. Men is ook bang voor afwijking van formele (geschreven) regels. In een cultuur met een zwakke onzekerheidsvermijding streeft men juist naar diversiteit. Daar heeft men een afkeer van formele regels (zie ook p. 154).

Ad 5 De verschillen tussen korte- en langetermijngerichtheid liggen volgens Hofstede (zie p. 216) op de gebieden van 'vasthouden aan tradities en snel resultaten boeken' (= korte termijn) versus 'bereidheid tot modernisering en werken aan resultaten in de toekomst' (= lange termijn).

Het leren intercultureel te communiceren doorloopt volgens Geert Hofstede drie fasen (*Andersdenkenden*, p. 284):

1   Bewustwording van je eigen gedrag (normen en waarden).
2   Kennis opdoen over de ander (verzamelen kennis en verschillen begrijpen).
3   Vaardigheden ontwikkelen die behalve op bewustwording en kennis ook op ervaring met de ander berusten (herkennen situaties en beter omgaan met andersdenkenden).

Vooral de uitwerking van de vijf cultuurdimensies heeft veel licht doen schijnen op de manier waarop culturele verschillen tussen landen en culturen kunnen worden verklaard. De boodschap van Geert Hofstede met zijn boek *Andersdenkenden* is tweeledig. Er bestaat geen universele norm en de belangrijkste culturele verschillen hebben betrekking op waarden (*Andersdenkenden*, p. 290/1). Vanwege mijn geloof in de universele normen en waarden, zoals het welzijn van de mens staat altijd boven elke wet, welk religieus voorschrift of welke plicht dan ook, kan ik het onmogelijk eens zijn met zijn eerste (pessimistische) conclusie. Met de tweede conclusie ben ik het volkomen eens.

DAVID PINTO

Pinto is vooral bekend geworden door zijn theorie over fijnmazige en grofmazige culturen. Hij baseert zijn theoretische inzichten op onder meer Edward T. Hall (1984), die net als Eppink onderscheid maakte tussen culturen met impliciete en expliciete communicatie. (Zie Pinto *Interculturele communicatie*, p. 40.) De F-cultuur staat voor wat in de volksmond vaak wordt aangeduid als de traditionele of niet-westerse cultuur, zoals in Marokko, Turkije en Somalië. De G-cultuur is te vinden in de moderne westerse landen, zoals Nederland, Amerika en Frankrijk. Volgens hem wordt een fijnmazige cultuur gekenmerkt doordat voor elke situatie gedetailleerde gedragsregels bestaan. Als je gewoon die regels opvolgt, is er niets aan de hand. In de G-cultuur hebben leden een grote mate van vrijheid in het vertalen van algemene regels. Dat hangt af van specifieke situaties. Daarnaast beweert Pinto dat rijken zich grofmaziger gedragen dan armen.

De theorie van Pinto zou je ook heel goed kunnen omdraaien. Juist in de fijnmazige culturen ontbreken vaak gedragsregels. Natuurlijk bestaan er daar ook gedetailleerde regels, maar die gelden slechts op het gebied van uitoefening van religie, zoals bidden en ritueel reinigen, en sommige tradities, zoals rituelen rond de geboorte, dood, trouwen en beleefdheidsrituelen, maar niet op het juridische vlak zoals de hedendaagse rechtspraak. Zo staat in een primitieve plattelandscultuur, door Pinto als fijnmazig aangeduid, nergens beschreven hoe rechtvaardig te handelen als buurman G. klaagt over de overhangende takken van zijn buurman F. in zijn tuin omdat die de zon tegenhouden. In stedelijke culturen, door Pinto als grofmazig aangeduid, stikt het van de regels. Het is niet voor niets dat de grondwetten van veel 'arme' landen, waarvan het merendeel vroeger een kolonie was van een westers land, bij gebrek aan 'eigentijdse' regels, westers georiënteerd zijn. Het is vergelijkbaar met wonen op het platteland en in een stad. Hoe groter een stad, hoe complexer de samenlevingsopbouw, hoe meer behoefte aan duidelijke regels. In de film *Gods must be crazy* (1980) worden deze verschillen tussen mensen die dicht bij de natuur leven en mensen die in een kunstmatige wereld leven duidelijk gemaakt. Mensen die in harmonie leven met de natuur kennen erg weinig leefregels en komen rustig over. Mensen die in de drukke stad leven moeten zich houden aan allerlei (leef)regels, waaronder verkeersregels. Zij komen gehaast over.

Pinto bestempelt Hofstedes indeling in cultuurdimensies als 'dogmatiserend en verstarrend', omdat hij geen rekening houdt met de dynamiek van de veranderende cultuur (*Interculturele commu-*

nicatie, p. 41). Natuurlijk is het waar dat geen enkele cultuur ontkomt aan verandering. Met zijn kritiek op Hofstede heeft Pinto zelf nog geen verklaring gegeven op de vraag hoe het dan toch komt dat sommige culturen vernieuwing en verandering omhelzen of beter blijken te absorberen terwijl andere culturen zich daarvan afkeren en zelfs nog sterker teruggrijpen naar de eigen tradities. Verder vertoont de driestappenmethode van David Pinto opvallende overeenkomsten met de drie stappen van Geert Hofstede.

1   Leer eigen normen en waarden kennen (bewustwording).
2   Leer de ander kennen (kennis verzamelen).
3   Stel je grenzen vast.

EDWIN HOFFMAN

Een interessant model op het gebied van het verbeteren van interculturele communicatie is door Edwin Hoffman geïntroduceerd. Het gebruik van dit model is vooral populair binnen het agogische werkveld. Zijn model wordt afgekort tot vijf letters: *topoi.* Deze afkorting bevat ook een boodschap. De vijf letters tezamen betekenen namelijk in het Oudgrieks, heel toevallig en toepasselijk, *plaatsen. (Topoi* is overigens geen werkwoord, maar het meervoud van het zelfstandig naamwoord *topos,* plaats) Elke letter staat symbool voor een bepaald domein. Om de interculturele gespreksvoering beter te kunnen *plaatsen* moet men de invloed van de volgende vijf domeinen onder de loep nemen (zie voor samenvatting van het analyse- en interventiekader van het topoimodel, p. 149 van zijn boek *Interculturele gesprekvoering).* Tussen haakjes staat vermeld op welke onderwerpen de vragen betrekking hebben:

1   Taal (vragen over betekenissen van communicatie)
2   Ordening (vragen over zienswijze en logica)
3   Personen (vragen over identiteit en betrekking)
4   Organisaties (vragen over regelingen en machtsrelaties)
5   Inzet (vragen over motieven en beweegredenen)

Elk domein heeft invloed op de interculturele gespreksvoering. Zo kan de keuze van een taal het proces van interculturele gespreksvoering beïnvloeden. Verder hebben organisatie, (posities van) personen, ordening en inzet invloed op de interculturele gespreksvoering. Om zoveel mogelijk ruis te voorkomen in de communicatie biedt het topoimodel ons de mogelijkheid om via onderzoeksvragen een bepaalde casus scherp te analyseren. Aan de hand van een gedegen analyse van verschillende vragen kan men een interventie plegen om de communicatie vlot te laten verlopen. Dat vormt de sterkte van dit model. Het model probeert een communicatiegebeurtenis in een gegeven casus eerst vanuit algemene vragen te analyseren. De antwoorden op de vragen leiden tot een betere reconstructie van de casus. Daarna volgen het eigen commentaar op en de conclusies van de interculturele gespreksvoering.

Het nadeel van het topoimodel is dat de hulpvragen heel algemeen van aard zijn. Daardoor is het model niet per se specifiek bedoeld voor de verbetering van de interculturele gespreksvoering. Het kan wel gebruikt worden om te achterhalen waardoor een intercultureel gesprek mogelijkerwijs (met hypothesen) is mislukt en hoe het in vervolg verbeterd kan worden. Bovendien vindt de analyse meestal achteraf plaats. Toch vormt juist deze constatering ook een voordeel, omdat het model ook gebruikt kan worden in bijvoorbeeld een gesprek tussen hulpverlener en een cliënt met een lichamelijke handicap. Het topoimodel kan in drie kernvragen samengevat worden (*Interculturele gespreksvoering*, p. 270):

1   Wat is mijn aandeel?
2   Wat is het aandeel van de ander?
3   Welke invloed(en) speelt (spelen) nog meer een rol?

Op zich vormen deze vragen een goed uitgangspunt om een casus te analyseren omdat ze uitgaan van de rollen die de volgende hoofdrolspelers spelen: *de ik, de ander en de omgeving*. Het is alleen jammer dat het model op het domein van 'taal' vooral voor mensen uit overwegend passieve culturen, zoals de Arabische, onvolledig is uitgewerkt.
Om dat aan te tonen geef ik hier een voorbeeld.
Daar waar het vooral gaat om taal en tolken is er geen enkele aandacht besteed aan het gebruik en de invloed van de lage of hoge variant van het Arabisch door de tolk in gesprekssituaties tussen hulpverleners en cliënten met een Arabische achtergrond. Het gebruik van bijvoorbeeld formeel gesproken Arabisch (= de hoge

variant) door een tolk in een gesprek tussen een asielzoeker en een opvangmedewerker kan onbedoelde effecten sorteren. De Arabische asielzoeker zal doordat de tolk gebruikmaakt van een hogere variant direct een grotere afstand kunnen ervaren met de opvangmedewerker. Het gebruik van formeel Arabisch straalt over het algemeen macht en afstand uit. Het gebruik van het informele Arabisch leidt tot ontspanning bij de Arabische asielzoeker, omdat dat vertrouwelijkheid, dichtbij of warmte uitstraalt. (zie ook *Het Arabisch*. Schippers en Versteegh, 1987, p. 92-93)

Als de opvangmedewerker in de communicatie met de Arabisch-sprekende asielzoeker geen afstand wil, zal hij of zij een tolk kunnen zoeken die het informele Arabisch beheerst van de asielzoeker.

4.2.3 Reflectie op inzichten van deskundigen in interculturele communicatie

Alle deskundigen streven naar kennistoename over het vak interculturele communicatie. Toch verschillen ze hemelsbreed van mening. Op een paar opvallende overeenkomsten na hanteren ze verscheidene manieren en andere instrumenten om meer kennis over de ander te vergaren. Die kennis moet leiden tot bewustwording van de eigen houding en een betere communicatie met die ander. We kunnen onderscheid maken tussen grofweg drie methodes die de bovengenoemde deskundigen hanteren om alles wat van invloed is op het proces van interculturele communicatie te interpreteren, te verklaren en eventueel te overbruggen.

In de eerste methode worden aan de hand van communicatiemodellen algemene uitspraken over culturen geformuleerd, zoals bij Eppink en Hofstede. De tweede methode behelst het aanreiken van een soort receptenboek '*Hoe om te gaan met de ander*' in de vorm van casuïstiek, zoals bij Pinto en Kaldenbach. De derde methode bestaat uit het beschrijven van processen die de interculturele communicatie of gespreksvoering (zouden) kunnen beïnvloeden, zoals bij Shadid en Hoffman. Hierna volgt een schematische weergave van deze drie gehanteerde methoden en een extra toelichting daarop.

OVERZICHT VAN DE DRIE METHODEN

Methode 1 leidt tot algemene uitspraken (Eppink en Hofstede).

Methode 2 leidt tot receptenboeken (Pinto en Kaldenbach). Methode 3 leidt tot het beschrijven van interculturele processen (Hoffman en Shadid).

Methode 1

De cultuurdeskundigen Eppink en Hofstede geven een duidelijk overzicht van cultuurtypen en cultuurdimensies. Zij hopen met deze overzichten de lezer bewust te maken van factoren die de interculturele communicatie kunnen beïnvloeden. Tegelijkertijd waarschuwen zowel Eppink als Hofstede voor het feit dat hun schema's en algemene uitspraken over culturen geen waardeoordeel bevatten over individuen, maar slechts hulpmiddelen zijn in het begrijpen van bepaalde facetten van interculturele communicatie. Hofstede zegt in zijn boek *Andersdenkenden* (p. 313): *'Stereotypen zijn halve waarheden en als zodanig in de communicatie tussen personen ongewenst'.*

Methode 2

De controversiële antwoorden komen ongetwijfeld van Pinto met zijn theorie over fijnmazige en grofmazige culturen en zijn driestappenmethode (zie paragraaf 4.2.2: David Pinto). Ook controversieel is de eenzijdige aanpak van Hans Kaldenbach die, met zijn 99 tips hoe met allochtonen om te gaan in bepaalde situaties, de Nederlanders voorbereidt in hun contact met allochtonen. Deze methode biedt meestal óf een kant en klare oplossing aan óf één simpele verklaring voor sommige problemen die leven tussen autochtonen en allochtonen. De methode werkt alleen met gebruikmaking van multiculturele casussen die zijn doordrenkt met meestal stereotiepe beelden over allochtonen en autochtonen.

Methode 3

In tegenstelling tot de bovenstaande deskundigen doen Shadid en Hoffman geen algemene uitspraken over culturen of leden daarvan. Dit om elke schijn van vooroordelen, stereotypering of zelfs van discriminatie bij voorbaat te vermijden. Hoffman biedt het neutrale topoimodel aan dat - op de domeinen van taal, ordening, persoon, organisatie en inzet - uitgaat van verscheidene onderzoeks- of hulpvragen. Het voordeel van de derde methode, zoals van Hoffman en Shadid, is dat de lezer via vragen gedegen kennis opdoet over verschillende theorieën over cultuur, communicatie en interculturele communicatie. Het nadeel is dat hun methoden en modellen zo breed en abstract zijn opgezet dat het buiten het praktische veld van 'interculturele communicatie' valt.

Zo gaat Shadid wel in op wat de eerder genoemde deskundigen, zoals Pinto en Hofstede, niet goed zien of zelfs verkeerd doen, maar hij komt helaas niet met een alternatief. Shadid wijst in zijn boek *Grondslagen van interculturele communicatie* op pagina 14 alle uitspraken over culturen zoals de ik-cultuur versus de wij-cultuur af als 'karikaturaal, generaliserend en statisch'. Shadid is huiverig dat een indeling van wereldculturen het etnocentrisme, het negatief oordelen over andersdenkenden, kan voeden. Zijn kritiek is gedeeltelijk ingegeven door zijn ideologie. Als fervente aanhanger van het cultuurrelativisme, tegenpool van het etnocentrisme, vindt hij dat culturen, net als talen, nooit met elkaar vergeleken kunnen worden (*Grondslagen van interculturele communicatie*, p. 35).

De vrees van Shadid dat alle vergelijkingen tussen culturen, behalve mank lopen, ook nog eens door lezers snel vertaald worden in termen van beter of slechter deel ik niet. Sommige indelingen, zoals die van Eppink en Hofstede, geven ons wel degelijk inzichten waar de mogelijke oorzaken van cultuurverschillen zouden kunnen liggen, zonder dat algemeen verbindend te verklaren voor alle vertegenwoordigers van een bepaalde cultuur.

Elk individu is inderdaad uniek, maar maakt wel deel uit van een groter verband, waaronder de culturele setting. Je zou het als volgt kunnen uitbeelden. In het midden van de cirkel bevindt zich het ik, dat omgeven wordt door een wij, dat weer omgeven wordt door een u. Ik staat voor het individu, wij voor familie, vrienden, kennissen, buren en collega's en u voor maatschappij en de staat, zoals het contact met de gemeenteambtenaar die je paspoort vernieuwt en nationale rolmodellen, zoals popsterren, voetballers en acteurs.

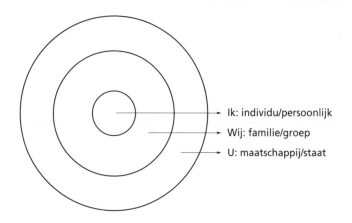

Figuur 4.2   Ik, wij, u

Om te begrijpen waarom individuen van elkaar kunnen verschillen in de communicatie moeten we eerst kijken hoe zij in een groter verband staan. Om enigszins begrip te krijgen van waaruit die grote verbanden bestaan, licht ik hierna een aantal waarden toe die als cement werken tussen de cirkels van ik, wij en u.

4.3   Resultaten van een onderzoek naar de sleutel tot betere interculturele communicatie: waarden

Nu we inzichten hebben gekregen over de theorieën en modellen van interculturele communicatie wordt het tijd ons te verdiepen in het generieke van de communicatiepraktijken. We zullen zien welke waarden schuilgaan achter de interculturele communicatie.

Vanaf het allereerste uur dat mensen met elkaar in gebaar, beeld en woord van gedachten kunnen wisselen of gedachten kunnen uitwisselen is men op zoek naar de sleutel tot betere communicatie. Los van de vraag of zo'n sleutel, behalve misschien in onze verbeelding, in werkelijkheid wel bestaat, kan reflectie op de oorzaken van zo'n zoektocht ons inzichten geven in het belang van een betere communicatie. De antwoorden op de vraag 'waarom willen wij de communicatie verbeteren?', kunnen ons daarbij helpen. Een van de belangrijkste redenen om communicatie te verbeteren is onze menselijke behoefte om aandacht te vestigen op het eigen verhaal. We willen in eerste instantie graag gehoord, begrepen of geholpen worden. Met communicatie willen we altijd een doel bereiken. In tweede instantie willen we moeite doen om de ander te begrijpen of te helpen.

Een andere reden om communicatie te verbeteren is om misverstanden te voorkomen. Hoeveel oorlogen en ruzies tussen landen, groepen mensen of individuen zijn er ontstaan vanwege miscommunicatie? Denk aan de heftige middeleeuwse polemieken tussen christenen en moslims die elkaar voor alles en nog wat uitmaakten zonder dat ze elkaar echt kenden, laat staan naar elkaar luisterden. De polemieken waren meer tirades van meestal racistische aard en gevoed vanuit angst voor het vreemde dan dat er een echte dialoog plaatsvond. Zo zijn er ongetwijfeld verschillende redenen te noemen waarom wij zo graag onze communicatie voortdurend willen verbeteren. Verreweg de meeste redenen zijn terug te voeren op dat ene woord: aandacht.

Gaan we iedereen vervolgens de vraag stellen wat de sleutel is tot betere communicatie, dan wordt het duidelijk welke waarden hierachter schuilgaan. Deze sleutelvraag werd in maart en september 2004 voorgelegd aan twee typen studenten. Het eerste type waren 61 voltijdstudenten van *Communication & Multimedia Design* (CMD), een opleiding van de Academie voor Kunst en Vormgeving St. Joost en Academie voor ICT & Management, aan de Avans Hogeschool in Breda. Hun 'modale leeftijd' zat rond de twintig jaar. Het tweede type waren 32 deeltijdstudenten aan de Academie voor Sociale Studies aan de Avans Hogeschool in Den Bosch. Hun leeftijd varieerde tussen 21 jaar en 49 jaar. Eerst behandel ik de resultaten van de jonge studenten van de CMD en daarna die van de oudere deeltijdstudenten Sociale Studies. Vervolgens licht ik de resultaten eruit.

De meest voorkomende antwoorden van de 61 tweedejaarsstudenten (zie figuur 4.2) op de sleutelvraag waren achtereenvolgens: *luisteren* (5 keer genoemd), *kennis* (4), *vertrouwen* (4) en *eerlijkheid* (4). Antwoorden die minder vaak werden genoemd, maar wel drie keer voorkwamen zijn *interesse, openheid* en *begrip*. Woorden die slechts twee keer zijn genoemd zijn: *acceptatie, geduld, respect, empathie* en *duidelijkheid*. De rest werd slechts één keer genoemd, zoals *oogcontact, tolerantie* en *humor*. Van de ondervraagden bestond het merendeel uit mannen (36). Uit de antwoorden op de sleutelvraag blijkt dat vertrouwen, eerlijkheid en acceptatie de voorkeur genoten bij vrouwen (alledrie twee keer genoemd). De mannen kozen voor kennis (4), luisteren (4) en begrip (3). Vijf studenten waren van allochtone afkomst. Twee van Surinaamse afkomst (een jongen en een meisje), er was een Turks meisje en twee mensen van Aziatische afkomst (een Chinese jongen en een meisje uit Zuid-Korea). Hun antwoorden waren zo divers dat er geen opvallend patroon of significante verschillen in te herkennen was.

	vertrouwen	eerlijkheid	acceptatie	kennis	luisteren	begrip	rest/anders
M	2 (5,6%)	2 (5,6%)	0	4 (11,1%)	4 (11,1%)	3 (8,3%)	21 (58,3%)
V	2 (8 %)	2 (8%)	2 (8%)	0	1 (4%)	0	18 (72%)
T	4 (6,6%)	4 (6,6%)	2 (3,3%)	4 (6,6%)	5 (8,1%)	3 (4,9%)	39 (63,9%)

M = aantal mannen = 36 = 100%
V = aantal vrouwen = 25 = 100%
T = totaal M+V = 61 = 100%

Figuur 4.3 Overzicht meest frequente antwoorden op sleutelvraag door type 1 (ca. 20 jaar)

Het opvallende aan deze resultaten van de CMD-studenten is dat vrouwen vaker antwoorden geven die te maken hebben met houdingsaspecten. Daarbij past de vraag: welke grondhouding neem ik aan jegens de ander? Mannen zoeken vaker de oplossing op het gebied van kennis. Daarbij past de vraag: wat moet ik weten om de ander te kunnen begrijpen? De nadruk op houding omschrijf ik, naar aanleiding van de resultaten, in het vervolg als een vrouwelijke eigenschap en de nadruk op kennis als een mannelijke eigenschap. Met onze houding willen we bewust of onbewust een voorbeeld geven en onze idealen in de praktijk verwezenlijken. Hier is veel ruimte voor de eigen mening. Met het opkrikken van onze kennis willen we zoveel mogelijk feitenmateriaal verzamelen, waarbij de eigen mening er eigenlijk niet toe doet. We zullen zien dat we, in navolging van Hofstede (zie *Andersdenkenden*, p.

125), ook hier culturen als vrouwelijk of mannelijk kunnen typeren.

Ter verduidelijking van de antwoorden zal ik verderop in de tekst achtereenvolgens de in dit onderzoek als overwegend mannelijke waarden genoemd *luisteren, kennis en begrip* en de overwegend vrouwelijke waarden genoemd *vertrouwen, eerlijkheid en acceptatie*, uitwerken. Maar eerst is het interessant te bekijken welke antwoorden de 32 deeltijdstudenten hebben gegeven op de sleutelvraag.

	respect	openheid	interesse	taal	begrip	acceptatie	rest/anders
M	3 (33,3%)	0	0	0	2 (22,3%)	1 (11,1%)	3 (33,3%)
V	6 (26,1%)	3 (13%)	3 (13%)	2 (8,7%)	1 (4,4%)	1 (4,4%)	7 (30,4%)
T	9 (28%)	3 (9,4%)	3 (9,4%)	2 (6,3%)	3 (9,4%)	2 (6,3%)	10 (31,2%)

M = aantal mannen = 9 = 100%
V = aantal vrouwen = 23 = 100%
T = totaal M+V = 32 = 100%

Figuur 4.4 Overzicht meest frequente antwoorden op sleutelvraag door type 2 (21-49 jaar)

Opvallend is het belang dat de deeltijdstudenten hechten aan het woord *respect*. Meer dan een kwart van de vrouwen en een derde deel van de mannen heeft dat als antwoord gegeven. Wat verder opvalt, is dat een enkele vrouw *begrip* noemt, terwijl bijna een kwart van de mannen daar nou juist veel waarde aan hecht. Heel opmerkelijk is dat vrouwen ook hier de houdingsaspecten, zoals openheid en interesse noemen, terwijl niemand van de mannen daaraan denkt. Als laatste kunnen we concluderen dat *taal*, die in eerste instantie met kennis te maken heeft, genoemd is door twee vrouwen en door geen enkele man. Taal en begrip komen soms zeer dicht bij elkaar. Het is daarom nog de vraag of de twee mannen die *begrip* noemden kennis van taal of cultuur als een noodzakelijke voorwaarde zagen voor begrip. Als dat zo is, dan geldt hier zeker dat mannen in relatieve zin vaker de sleutel in kennis zoeken en vrouwen in de houding. Als dat niet zo is, dan hoeven we slechts te kijken naar de resterende antwoorden, die slechts 1

101

keer zijn genoemd. Bij vrouwen hebben verreweg de meeste antwoorden betrekking op de houding, zoals *nieuwsgierigheid, acceptatie, betrokkenheid* en *empathie*. Bij mannen heeft de helft van de antwoorden met kennis te maken, zoals *herkaderen* en *kennis van universele waarden*. Als we de figuren 4.3 en 4.4 bij elkaar optellen krijgen we het volgende plaatje.

	vertrouwen	eerlijkheid	acceptatie	kennis	luisteren	begrip	respect
M	2 (4,4%)	2 (4,4%)	1 (2,2%)	4 (8,9%)	4 (8,9%)	5 **(11,1%)**	3 (6,7%)
V	2 (4,2%)	2 (4,2%)	3 (6,2%)	0	1 (2,1%)	1 (2,1%)	7 **(14,6%)**
T	4 (4,3%)	4 (4,3%)	4 (4,3%)	4 (4,3%)	5 (5,4%)	6 (6,4%)	10 (10,8%)

	openheid	interesse	taal	rest			
M	2 (4,5%)	0	1 (2,2%)	21 (46,7%)			
V	3 (6,2%)	3 (6,2%)	2 (4,2%)	24 (50%)			
T	5 (5,4%)	3 (3,2%)	3 (3,2%)	45 (48,4%)			

M = aantal mannen = 45 = 100%
V = aantal vrouwen = 48 = 100%
T = totaal M+V = 93 = 100%

Figuur 4.5 Overzicht meest frequente antwoorden op de sleutelvraag

Nu we een overzicht hebben van de resultaten van zowel de 61 jongere studenten als de 32 oudere studenten in de figuren 4.3, 4.4 en 4.5 kunnen we de meest voorkomende antwoorden nader toelichten. Ik heb in eerste instantie gekozen voor waarden die minimaal drie keer worden genoemd door de mannen en vrouwen samen of vaker door mannen dan vrouwen of andersom. Op deze manier kunnen we vier hoofdcategorieën van twee of meer waarden onderscheiden:

1   respect en begrip
2   luisteren en kennis versus interesse en openheid
3   vertrouwen en eerlijkheid
4   taal en acceptatie.

Daarna behandel ik nog drie onderstaande categorieën. Deze bestaan uit een select aantal waarden, waarvan ik vind dat ze, ondanks het feit dat ze hier maar een enkele keer zijn genoemd, toch onontbeerlijk zijn voor het voeren en begrijpen van communicatie, zoals:

5   empathie en duidelijkheid
6   oogcontact en tolerantie
7   geduld en humor.

Zo werk ik in totaal zeven categorieën uit, in volgorde van frequentie en belangrijkheid voor de communicatie. Ik voorzie ze tevens van commentaar.

AD 1 RESPECT EN BEGRIP

Waarden als *begrip* en *respect* schieten in figuur 4.5 boven de rest uit. Uit deze figuur blijkt verder dat mannen de voorkeur geven aan begrip en dat vrouwen de voorkeur geven aan respect. Noodzakelijk voor begrip is kennis. Met verstand kun je kennis opdoen. Om begrip te kunnen opbrengen voor iets of voor iemand moet je minimale kennis hebben van het verhaal over de desbetreffende situatie of van de betrokken persoon. Bij begrip zijn inhoud van het verhaal (= wat is er aan de hand?) en het gebruik van het gezonde verstand heel belangrijk. We kunnen begrip hebben voor Jan, die vanwege autopech of file te laat komt op een afspraak. Het is immers buiten zijn schuld dat hij te laat is voor die afspraak. Wij weten zijn reden voor het te laat komen. Hoewel begrip hebben voor iemands situatie vaak gepaard gaat met respect, liggen ze zeker niet op hetzelfde niveau. Noodzakelijk voor respect geven is namelijk de juiste houding aannemen. Bij houding zijn de vorm van het verhaal (= hoe ga je om met de ander?) en het gebruik van gevoel of intuïtie erg belangrijk. Stel nu dat Jan altijd minimaal een kwartier te laat komt op een afspraak, omdat dat nou eenmaal een vast onderdeel is van zijn cultuur: een Brabants kwartiertje. Hoewel de meeste mensen respect zullen hebben voor de gewoonte van Jan, heeft zeker lang niet iedereen, die deze gewoonte niet kent of waardeert, begrip voor Jan. Dus voor iemands gewoonte respect opbrengen leidt niet automatisch tot begrip kweken.

Respect toon je met je *emotionele houding* (dus niet vragen naar het waarom, maar het gewoon accepteren) en begrip met je *zakelijke houding* (juist wel (door)vragen naar het waarom). Zo bezien zouden we, uitgaande van de resultaten in figuur 4.5, begrip als een mannelijke eigenschap kunnen typeren en respect als een vrouwelijke eigenschap. In passieve culturen geeft men voorkeur aan respect boven begrip en in actieve culturen is dat precies andersom. De conclusie die we nu zouden kunnen trekken is dat passieve culturen vrouwelijke eigenschappen, zoals respect, extra waarderen en actieve culturen de mannelijke eigenschappen, zoals begrip.

AD 2 LUISTEREN EN KENNIS VERSUS INTERESSE EN OPENHEID

Luisteren, dat hier als een mannelijke eigenschap wordt aangeduid, omdat mannen het vaker noemen, kan op twee manieren worden opgevat. Letterlijk en als metafoor. In letterlijke zin betekent het dat je je oren spitst om het verhaal, dat iemand je probeert te vertellen, aan te horen, te ordenen en eventueel te onthouden. Als dat luisteren zich puur beperkt tot feiten verzamelen en opslaan, zonder daarop te reageren, zal de *kennis* over de ander ongetwijfeld toenemen, maar of het begrip voor de ander in gelijke mate toeneemt is zeer de vraag. Zeker is dat op deze wijze het onmogelijk is een langdurige relatie of vriendschappelijk contact aan te gaan. Daarvoor is meer nodig. Naast kennis van de taal van je gesprekspartner is ook interesse in zijn of haar verhaal erg belangrijk. Interessant is dat mannen in figuur 4.5 geen enkele keer interesse als antwoord op de sleutelvraag hebben gegeven, terwijl dat toch een belangrijke basisvoorwaarde is voor contact.

Interesse kweken voor een verhaal van de ander leer je niet primair uit boekjes, maar door de mate waarin je slaagt om *openheid* in je houding aan de dag te leggen. Daarnaast kan interesse alleen geprikkeld worden wanneer zowel de zender als ontvanger in een gespreksbeurt elkaar met vertrouwen tegemoet treden. Pas dan staan ze open voor elkaar. Oprechte interesse kan alleen echt gewaardeerd worden als die gecombineerd wordt met een andere vrouwelijke waarde: *eerlijkheid*. Daarover straks meer. Wanneer twee mensen dezelfde taal spreken en er is aandacht voor het verhaal, spreek je van echt luisteren. Door dezelfde taal te spreken en aandacht kan contact ontstaan.

Luisteren speelt zich, net als communicatie, grofweg op twee niveaus af. Op het niveau van de inhoud en relatie. Aangezien het zoeken van kennis in dit onderzoek als een mannelijke waarde wordt getypeerd, zou je kunnen concluderen dat mannen zich meer op de inhoud richten dan op de relatie. Dat is ook een kenmerk van actieve culturen. In een concrete situatie betekent het dat mannen meer letten op wat er wordt gezegd dan hoe het wordt gezegd. Dit mannelijk denken is een beetje naïef omdat het communicatieproces slechts voor dertig procent met woorden verloopt. De rest bestaat uit non-verbale communicatie, zoals signalen van het eigen gedrag. Vergelijk dit ook eens met hoe Plato en Aristoteles naar de werkelijkheid kijken (zie de boodschap van het boek).

De waarden *interesse* en *openheid* spelen zich in een actieve cultuur vooral af op het inhoudsniveau en in een passieve cultuur op het betrekkingsniveau (relatiegericht). Vandaar dat in een actieve cultuur het onderscheid tussen de privé-sfeer (wat je persoonlijk vindt van de ander) en de zakelijke sfeer (wat je vanuit je werk vindt van de ander) soms mijlenver van elkaar kunnen af liggen. Het is heel normaal in de Nederlandse politiek om een relatie aan te gaan met iemand en toch totaal van mening te verschillen. Denk aan de oude verhouding van de twee bekende Nederlandse politici, Bram Peper van de PvdA en Neelie Kroes van de VVD. In een passieve cultuur is het ondenkbaar dat twee Nederlandse politici elkaar tijdens een debat in de Tweede Kamer of in de gemeenteraad met heftige polemieken om de oren slaan en daarna gezellig samen koffie of een pilsje gaan drinken of zelfs gaan barbecuen. In een passieve cultuur maak je geen onderscheid in gesprekken over zaken of privé. Dat is ook de reden waarom allochtonen afkomstig uit passieve culturen in bijvoorbeeld openbare debatten meestal geen verschil maken tussen wat iemand persoonlijk denkt en vindt over iets en wat je van hem of haar persoonlijk vindt. Dat betekent in de praktijk dat als een allochtoon van een passieve cultuur een mening van persoon A hekelt ook meteen een hekel heeft aan die persoon.

Hoewel in alle culturen kennis verwerven een centrale plaats inneemt is deze mannelijke waarde in deze moderne tijd meer van toepassing op de westerse culturen dan op niet-westerse culturen. Al is het alleen vanwege het feit dat in het Westen meer middelen voorhanden zijn om onderzoek en studie te kunnen doen. Bovendien is er een opvallend verschil in het doel dat men nastreeft bij het zoeken van kennis. In veel Aziatische culturen, voornamelijk door de invloed van de boeddhistische leer, is het ultieme doel om je ego te ontstijgen om zo één te kunnen zijn met de natuur of de kosmos. Alleen zo kan de nirwana (bevrijding, werkelijk oplossen in het groter geheel) bereikt worden.

Trekken we deze lijn door naar andere oosterse culturen, zoals de islamitische, dan zien we dat de opofferingsgezindheid voor de familie, clan of het ideaal veel groter is dan in westerse culturen. De zorg voor de eigen familie wordt onder oosterlingen bijna als een religieuze plicht gezien.

In uitzonderlijke gevallen zien we dat de bereidheid onder sommige extremistische moslims om zelfmoorden te plegen om een hoger ideaal te bereiken zeer hoog is. Dat geldt ook voor sommige Japanners, die vooral tijdens de Tweede Wereldoorlog opvielen met hun zelfmoordvluchten op onder andere Amerikaanse oorlogsschepen.

Waar het in de oosterse culturen om gaat is dat kennis niet slechts moet leiden tot individuele zelfverrijking in geestelijke en/of materiële zin, maar vooral ten dienste moet staan van het algemene of hogere belang. Daarom wordt het delen van kennis, net als eten, binnen de eigen gemeenschap als een grote deugd gezien. In westerse culturen is kennis juist nodig om zoveel mogelijk de eigen emancipatie, de bevrijding van het individu te bewerkstelligen.

AD 3 VERTROUWEN EN EERLIJKHEID

Wanneer we *vertrouwen* en *eerlijkheid*, die we hier als vrouwelijke waarden kenschetsen, onder de loep nemen en afzetten tegen de manier waarop men omgaat met deze twee waarden in de westerse en de niet-westerse culturen dan ontdekken we al snel verschillen in de opvoeding. Als we de Marokkaanse cultuur afzetten tegen de Nederlandse cultuur, zien we dat Marokkaanse kinderen over het algemeen leren om de vreemdeling altijd te wantrouwen. Pas wanneer de vreemdeling het vertrouwen wint, verdient hij het blinde vertrouwen. Nederlandse kinderen leren om in eerste instantie vertrouwen te geven aan de vreemdeling. Pas als dit vertrouwen geschaad wordt, volgt wantrouwen. Merk op dat met respect precies het tegenovergestelde plaatsvindt! Marokkaanse kinderen leren al vroeg iedereen die ouder is te respecteren, terwijl Nederlandse kinderen kritisch worden opgevoed. (zie ook bijlage 4: 'Allochtone kind is bang om na te denken', *Trouw*, 22 april 2003)

Zonder twijfel is *eerlijkheid* een universele waarde die in alle culturen als een grote deugd wordt beschouwd. De manier waarop ermee omgegaan wordt verschilt hemelsbreed tussen westerlingen en oosterlingen. Neem nou de manier waarop men in de islamitische wereld omgaat met een aantal taboes, zoals het in het openbaar spreken over (homo)seksualiteit en het drinken van alcohol. Het bestaan van homoseksualiteit wordt meestal ontkend, terwijl in bijna iedere moslimdorp minstens één bekende homo rondloopt. Dat ontkennen zou een westerling als liegen of verdraaiing van de feiten of hypocriet gedrag kunnen opvatten. De oosterling zou de westerling beschuldigen van exhibitionisme en het overschrijden van fatsoenlijk gedrag wanneer hij of zij vrijuit praat over zulke taboes. Eerlijkheid wordt in de oosterse culturen totaal niet gewenst als daarmee een persoon wordt gekwetst of in zijn of haar eer wordt aangetast.

Bovendien geldt de regel 'wat niet weet, wat niet deert'. Zolang gedrag dat in de eigen oosterse maatschappij in principe wordt afgekeurd, stiekem of verborgen plaatsvindt, mag je gerust je gang gaan. Je kunt daarvoor niet worden gestraft. Als je dan toch op heterdaad wordt gepakt door de politie dan kun je altijd nog ontkennen. Vaak wordt dit gedrag van ontkenning verklaard door een gebrek aan schuldbesef in de schaamtecultuur (zie ook *Allochtonen en strafbeleving* van onder andere Klooster, 1999, p. 26 en 44).

De absurdheid van sommige regels wordt in het islamitische erfrecht perfect geïllustreerd, bijvoorbeeld bij het op heterdaad betrappen van overspelplegers. Overspel wordt als een zonde beschouwd, dus bestraft. Voorwaarde is wel dat minstens vier mannelijke getuigen de daad hebben gezien. Als al overspel bewezen kan worden, kun je je afvragen wat de rol is van deze vier getuigen. Wisten zij van tevoren van de daad? Zo ja, waarom grepen ze niet eerder in om overspel te voorkomen?

Dialoog 7: Schaamtecultuur

Harrie: *Jullie cultuur kent veel taboes. Toch?*

Haroen: *Ja, dat is zo. Dat komt gedeeltelijk door de cultuur van schaamte.*

Harrie: *Waar komt die schaamte vandaan?*

Haroen: *Dat komt doordat mensen vroeg afleren om de vuile was buiten te hangen.*

Harrie: *Maar hoe zit dat met jou thuis?*

Haroen: *Ik soebat thuis nooit over taboes.*

Harrie: *Dat komt natuurlijk omdat je je schaamt?*

Haroen: *Nee, ik hang geen was buiten. Dat doet mijn vrouw altijd.*

AD 4 TAAL EN ACCEPTATIE

In alle culturen geldt dat de kennis van de *taal* een eerste vereiste is om kennis te maken met de andere cultuur. In een passieve cultuur volgt *acceptatie* pas als je zegt en doet wat algemeen geaccepteerd is in de dominante cultuur. In de praktijk komt het erop neer dat een vreemdeling zijn cultuur van herkomst overboord moet gooien om erbij te horen. Zo moeten Nederlanders, die zich bekeren tot de islam, eerst een Arabische naam aannemen, voordat ze zich moslim kunnen noemen. Dit, terwijl naamsverandering geen noodzakelijke voorwaarde is om moslim te worden! In een actieve cultuur waardeert men juist dat vreemdelingen bruggen slaan tussen hun eigen cultuur en de nieuwe cultuur.

AD 5 EMPATHIE EN DUIDELIJKHEID

In passieve culturen lijkt *empathie* in de eerste aanleg beter ontwikkeld te zijn dan in actieve culturen. Dat komt doordat men opgroeit in een cultuur van bescheidenheid, in sommige gevallen zelfs nederigheid, respect, zeker tegenover ouderen en mensen met macht, status en geld en flexibiliteit. In de actieve cultuur zijn deze waarden ondergeschikt aan het principe van gelijkheid. Daarom is klantvriendelijkheid (= extra aandacht besteden aan de klant) iets wat in een actieve cultuur via een training of cursus geleerd moet worden, terwijl de leden van een passieve cultuur, zoals de Aziaten, dat automatisch met de opvoeding meekrijgen. Alsof het in hun genen zit. Het doel van klantvriendelijkheid is om de ander op zijn gemak te stellen en zoveel mogelijk te respecteren. Dat kan alleen als je je werkelijk inspant om je in de ander in te leven. Behalve respect geven aan de ander wordt de zorg voor de ander ook met de paplepel ingegoten bij de leden van de passieve cultuur.

Duidelijkheid is iets dat we weer vaker in de actieve cultuur tegenkomen dan in een passieve cultuur. Dat komt doordat de leden van de actieve cultuur vaker streven naar zekerheden. Dat staat haaks op het flexibele gedrag dat wordt gepromoot in een passieve cultuur. Verzekeringen afsluiten tegen allerlei rampen is typisch voor leden van een actieve cultuur. Verder uit zich het zoeken naar zekerheid in onder meer de voorspelbaarheid van bepaalde acties. Bijna alles is gestructureerd en aan tijd en ruimte gebonden. *Afspraak is afspraak.* Afwijking van de structuur valt op. In de passieve cultuur is meer sprake van onduidelijkheid, omdat niet alles gezegd mag worden. Dat leidt weer tot onzekerheid. Een nadeel van te veel duidelijkheid is dat er weinig ruimte is voor verwondering. Een nadeel van te weinig duidelijkheid is chaos.

AD 6 OOGCONTACT EN TOLERANTIE

Een respondent gaf als antwoord op de vraag 'wat is de sleutel tot betere communicatie?' het hebben van *oogcontact*. Deze waarde zal veel bijval krijgen in de meeste westerse culturen, waar het zelfs bot staat om iemand niet aan te kijken terwijl hij of zij tegen je praat. In veel oosterse culturen is het juist omgekeerd. Daar is het onbeleefd om een autoriteit, zoals een vader, docent of superieur rechtstreeks in de ogen te kijken. Als dat al een beetje gebeurt, dient men het hoofd altijd iets voorovergebogen te houden. In veel oosterse culturen is deze vorm in het begroetingsritueel opgenomen, zoals in Japan.

De waarde van *tolerantie* wordt verschillend geïnterpreteerd door leden van de passieve en actieve cultuur. In de actieve cultuur streven de leden naar erkenning in de openbaarheid. In de passieve cultuur is in principe alles geoorloofd mits het niet aan de grote klok wordt gehangen.

AD 7 GEDULD EN HUMOR

Hoewel men in bijna alle culturen *geduld* als een schone zaak ziet, zijn er enorme verschillen in de manier waarop deze waarde in de praktijk tot uiting komt. In de islam is geduld zeker een kernwaarde. In de koran kiest God zelfs partij voor mensen met geduld (*Inna Allāha ma'a sābirīn*: Allah is met de geduldigen. Koran, 2:153). Geduld wordt in de passieve culturen regelmatig extreem op de proef gesteld. Dat komt omdat men het lot graag legt in handen van een autoriteit, zoals God. In de praktijk laat men het aan het toeval over of men tot actie overgaat of niet. Daardoor wordt onder het mom van geduld bijna alles uitgesteld naar de volgende dag. Daar geldt dus 'wat vandaag niet kan, kan morgen wel!' In actieve culturen wordt geduld als een hindernis gezien, omdat men niet graag zaken uitstelt tot morgen. Daar geldt juist 'wat vandaag af kan moet vandaag ook af'. De kans dat een lid van een passieve cultuur en een lid van een actieve cultuur die samen zaken willen doen, elkaar op de zenuwen werken is levensgroot.

Ongetwijfeld is *humor* een universele waarde die men in alle culturen prijst. Iedereen wil op zijn tijd graag kunnen lachen, omdat het tot ontspanning leidt. Uiteraard spreekt het voor zich dat humor cultuurbepaald is. Wat de ene cultuur onder humor verstaat interpreteert een andere cultuur als belediging. Zelf geloof ik dat zelfspot noodzakelijk is om culturele barrières te slechten. Humor kan de eigen waarden relativeren, omdat humor ons een spiegel voorhoudt. Door in de spiegel te kijken zien we ons eigen beeld op een afstand. Behalve humor bestaan er natuurlijk ook veel waarden die in alle culturen van belang zijn, maar steeds weer in de invulling verschillen.

Daarnaast kunnen we nog meer waarden opnoemen die in de westerse culturen van belang zijn, terwijl ze in de oosterse culturen juist niet van belang zijn of omgekeerd. Een oorzaak van dit verschil ligt in het belang dat men hecht aan inhoud of vorm van de boodschap die men graag wil communiceren. Het verschil tussen deze inhoud en vorm is bijvoorbeeld te vergelijken met je mening uiten (het streven om in naam van vrijheid van meningsuiting alles te zeggen wat je persoonlijk vindt van iets of iemand) of respect betuigen (het streven om in naam van de lieve vrede niet alles te zeggen wat je persoonlijk vindt). In deze zin vindt de Nederlandse uitdrukking *spreken is zilver, zwijgen is goud* meer gehoor in vormgerichte culturen dan in inhoudsgerichte culturen. Dat humor kan helpen om een opening te vinden tussen de sprekers en de zwijgers spreekt voor zich (zie in dit verband ook bijlage 5 en 6 *Shouf Shouf* en *Koranhumor*).

4.4 Verschillen tussen inhoudsgerichte en vormgerichte culturen

Inhoudsgerichte culturen vinden de inhoud van de boodschap belangrijker dan zijn verschijningsvorm. Vandaar dat men daar streeft naar waarden zoals gelijkheid, eerlijkheid, openheid, acceptatie, tolerantie en eenduidigheid. In deze culturen worden kinderen al vroeg gestimuleerd een eigen mening te vormen om zo hun eigen wereldbeeld te vormen. Men vindt in de inhoudsgerichte culturen democratie en vrijheid van meningsuiting de basiswaarden van een menselijke samenleving.

Vormgerichte culturen vinden de vorm waarin een boodschap wordt verpakt altijd belangrijker dan wat iemand echt als individu vindt of denkt. In deze culturen worden gehoorzaamheid, loyaliteit, respect, geduld, inlevingsvermogen, flexibiliteit en discretie als nobele waarden nagestreefd. Zo is de naakte waarheid vertellen bijna hetzelfde als een onzedelijk gedrag vertonen. Het is niet de waarheid die van belang is, maar de toon waarop het wordt verteld of naar buiten wordt gebracht. Denk aan de Franse uitdrukking: '*C'est le ton qui fait la musique*'. In deze culturen leren kinderen dat zij hun positie moeten kennen ten opzichte van hun vader en docent. In de vormgerichte culturen streeft men naar een samenleving waar één sterke leider, partij of ideologie heerst, respect voor hiërarchische structuren gewaarborgd is en groepsloyaliteit meer telt dan de eigen mening of zelfs het eigen leven. In zo'n samenleving is de opofferingsgezindheid voor de gemeenschap of een hoger ideaal zeer groot.

Het benadrukken van deze twee typen culturen is evident voor het verloop van de cultuurbepaalde communicatie, omdat de beleving en de invulling (de betekenis) die men aan dezelfde waarden kan geven totaal kunnen verschillen.

Ter verduidelijking een voorbeeld.

Nederlanders die opgroeien in een overwegend inhoudsgerichte cultuur staan internationaal bekend om hun directe communicatie. Ze zijn vaak 'recht door zee', hebben vaak 'het hart op de tong' en zeggen 'brutaal eerlijk' wat ze van iets vinden en dus is het logisch dat ze een waarde als *eerlijkheid* waarderen. Deze directe communicatievorm en het streven naar eerlijkheid wordt echter door bijvoorbeeld Indonesiërs en Marokkanen die opgroeien in vormgerichte culturen als bot en lelijk ervaren. De juryleden van de populaire serie *Idols* zijn daar goede voorbeelden van. Het in het openbaar afkraken van een kandidaat die volgens hen over zeer weinig zangtalent beschikt is zeer confronterend en kan eventueel nadelige gevolgen hebben voor het zelfvertrouwen van de kandidaat. Sowieso lijkt het, afgaande op de verhalen van de buitenlanders hier, bijna des Nederlands om slechts kritiek te geven als iets niet goed gaat of niet volgens afspraak. Dat noem ik hier negatieve eerlijkheid. Nederlanders worden in het algemeen niet opgevoed met het idee dat je niet alleen kritiek moet geven als het niet goed gaat, maar dat je ook complimenten maakt als iets wel goed gaat. Dat is weer de andere kant van de (on)uitgesproken eerlijkheid: niet alleen kritiek geven en ontvangen, maar ook complimenten geven en ontvangen.

In vormgerichte culturen, waar indirecte communicatie meer regel dan uitzondering is, telt eerlijkheid niet als dat kan leiden tot gezichtsverlies of het kwetsen van de trots van de ander. Daar vinden we vaak het verschijnsel van eergevoel beschermen. De verwerpelijke uitwassen daarvan vinden we terug in het redden van het eigen gezichtsverlies door bloedwraak en eerwraak te plegen, als bijvoorbeeld een vrouw met haar optreden haar man in het openbaar beschaamt. Het komt meestal in onschuldige varianten voor; zoals iemands eer strelen. Zo is het in oosterse culturen vaak gebruikelijk dat gasten of nieuwe vrienden niet alleen in de watten worden gelegd, maar ook vaak worden opgehemeld. Een Nederlandse toerist, die net in Egypte aankomt en daar door bijna alle Egyptenaren als *my best friend* wordt aangesproken kan dat erg overdreven en soms ook opdringerig vinden. Tegelijkertijd is het de bedoeling dat de gast of de nieuwe vriend ondanks de vele lofprijzingen zijn hoofd koel houdt en in alle bescheidenheid de complimenten als ware zij cadeaus te aanvaarden. Zou de gast de complimenten te gretig aannemen, dan gedraagt hij zich onbeschoft. Het is gepast om de vele lofprijzingen te relativeren. Ook bij het ontvangen van cadeaus is het in veel oosterse culturen vaak gebruikelijk de eerste paar keren beleefd af te wijzen. Nuchtere Hollanders vinden nogal eens dat 'die verhalenvertellers van Arabieren' zo erg overdrijven in het beschrijven van gebeurtenissen dat het tot op het liegen af is. Het overdrijven van zaken kent ook zijn oorzaak en reden. Behalve ingegeven door de culturele gewoonte om de werkelijkheid poëtisch in te kleuren, heeft het ook een praktische reden. Om de gesprekspartner niet te beledigen wordt hij of zij met alle egards toegesproken. Boze tongen beweren vaak dat mensen taaluitingen vaker negatief interpreteren dan positief. Vandaar de oosterse strategie van het overdrijven. Om te voorkomen dat je iemand onverhoopt kwetst of beledigt.

4.5 Confrontatiemodel versus harmoniemodel

Nemen we de vorm waarin communicatie in inhoudsgerichte en vormgerichte culturen plaatsvindt, dan komen we tot de volgende opvallende tegenstellingen. Omdat men zich in de inhoudsgerichte culturen bedient van directe communicatie lokt men vaak confrontatie uit. Er is dan sprake van woordenstrijd of competitie in de vorm van debat en discussies. Het Engelse Lagerhuis is een typisch product van een inhoudsgerichte cultuur. Dat is ook logisch, want in zo'n actieve cultuur is er vaak een democratisch bestel aanwezig. De mondigheid van de burgers wordt via debat vergroot en iedereen heeft recht op zijn mening. Deze wijze leidt in de westerse filosofie (zie *filosofie* van Kant) tot onafhankelijk denken en daarmee tot zelfstandigheid en onafhankelijkheid.

In de vormgerichte culturen, waar democratie vaak alleen in naam bestaat, geeft men de voorkeur aan het zoveel mogelijk voor zich houden van de eigen mening of van de groep om maar in harmonie met de ander te kunnen leven. Daar is het juist de plicht om de relatie met je buurman of gesprekspartner zo goed mogelijk te houden. Vandaar dat er in vormgerichte culturen vaak *mooi-weer-gesprekken* plaatsvinden. Dat zijn gesprekken die overduidelijk nooit kunnen leiden tot onenigheid of meningsverschil, omdat ze nergens over gaan. Men wisselt eerst beleefdheden uit *('hallo buurman!')*, hoort de verhalen van elkaar aan *('mooi weer vandaag, hè?')* en vervolgt ieder zijn eigen weg *('dag buurman!')*. Een Nederlander die bijvoorbeeld voor het eerst in Marokko op bezoek is en denkt dat Marokkanen al pratend constant ruziemaken, is er niet aan gewend om luidruchtig en met veel handgebaren met anderen om te gaan. Deze manier, op een zeer korte afstand met elkaar communiceren, past weer perfect in het overdrijven van zaken, zoals eerder toegelicht en staat haaks op de Nederlandse manier: op een afstand communiceren.

4.5.1 Van verschil naar overeenkomst

Het confrontatiemodel in de inhoudsgerichte culturen versus het harmoniemodel in de vormgerichte culturen staan hier niet alleen lijnrecht tegenover elkaar. Ze komen in hun extreme uitwerking ook overeen. Zoals het nadeel dat beide modellen ervoor zorgen dat men niet echt naar elkaar luistert. In uiterste gevallen leidt het confrontatiemodel tot het bij elkaar schreeuwen van het eigen gelijk, het benadrukken van de eigen waarheid, het opdringen van het eigen wereldbeeld aan de ander en het schofferen van de minder welbespraakte mensen. Het stilzwijgen van het harmoniemodel leidt tot een grote beerput met een verzameling onuitgesproken geheimen, vooroordelen, irritaties en getraumatiseerde ervaringen. Dit laatste verklaart wellicht waarom in landen en gebieden, zoals in Rwanda en op de Balkan, waar dit harmoniemodel bij sommige bevolkingsgroepen tot in het extreme wordt doorgevoerd, het lang vredig lijkt te zijn totdat het plotseling tot een felle uitbarsting komt.

4.5.2 Overeenkomsten en effecten

Het niet uiten van de eigen mening en het te lang binnenvetten van onuitgesproken (haat)gevoelens voor andersdenkenden kan door een enkel incident tot een ware vulkaanuitbarsting leiden. Omgekeerd kan het confrontatiemodel mensen afschrikken om hun eigen mening in het openbaar te verkondigen, omdat toch niemand naar hen luistert. Het gevolg is dat ze zich terugtrekken en niet meer gaan stemmen. Vervolgens staan ze onverschillig ten opzichte van de politieke besluitvorming totdat iemand opstaat die hun gevoelens en mening uitstekend voor het voetlicht kan brengen, zoals Pim Fortuyn dat deed. Dan barst de bom. Beide modellen kunnen uiteindelijk hetzelfde effect sorteren; mensen agressief maken om hun gelijk te halen of op te eisen.

De inhoudsgerichte cultuur bepaalt de mentaliteit van de Nederlander, terwijl de vormgerichte cultuur de mentaliteit van de Indonesiër bepaalt. Het boek *De stille kracht* van Louis Couperus geeft een aantal mooie voorbeelden van de verschillen tussen de nuchtere Nederlander die alles met zijn verstand wil begrijpen en de spiritueel ingestelde Indonesiër die gelooft dat er meer nodig is dan alleen verstand om dingen te kunnen doorgronden, zoals hulp van goede geesten.

4.6 Overzicht indicatoren inhoudsgerichte en vormgerichte culturen

Nu ik een aantal voorbeelden van de invulling van waarden in de inhoudsgerichte culturen tegen vormgerichte culturen geplaatst heb, zal ik ze één voor één verder toelichten. Dit doe ik aan de hand van casussen, bij voorkeur in een letterlijke dialoog uitgeschreven, de andere keer aan de hand van een beschrijving van een gebeurtenis. Wanneer je een aantal kenmerken op een rij zet van inhoudsgerichte culturen die de westerse beschaving op dit moment beter kenmerkt, en die plaats je tegenover vormgerichte culturen die de oosterse beschaving beter kenmerkt, krijg je het volgende plaatje. (zie pagina 116)

Inhoud	Vorm
▷ Directe communicatie	▷ Indirecte communicatie
▷ Ik denk, dus ik besta (ratio)*	▷ Ik voel, dus ik besta (geloof)
▷ Nadruk zichtbare wereld	▷ Nadruk onzichtbare wereld
▷ Nadruk inhoud religiebeleving	▷ Nadruk vorm religiebeleving
▷ Verantwoordelijkheid delen	▷ Verantwoordelijkheid in één hand
▷ Gelijkheid	▷ Gehoorzaamheid
▷ Openheid	▷ Geslotenheid
▷ Onafhankelijkheid belangrijker	▷ Loyaliteit aan de groep belangrijker
▷ Zelfstandigheid hoog	▷ Afhankelijkheid hoog
▷ Gericht op lichaam/materie	▷ Gericht op ziel/geestelijke toestand
▷ Mondigheid hoog	▷ Mondigheid laag
▷ Ongeduld	▷ Geduld
▷ Eigen individuele mening eerst	▷ Eigen groepsmening eerst
▷ Waarheid als doel	▷ Waarheid als middel
▷ Confrontatie (debat)	▷ Harmonie (conversatie)
▷ Vrijheid belangrijker	▷ Broederschap belangrijker
▷ Eigen belang	▷ Algemeen belang
▷ Gericht op vernieuwing	▷ Gericht op het oude (traditie)
▷ Gezicht naar de toekomst	▷ Gezicht naar het verleden

* Toelichting op 'ik denk, dus ik besta'. Via deze spreuk legt de Franse filosoof René Descartes erg de nadruk op het verstand: kracht van argumenten en (wetenschappelijke) bewijzen overleggen. Dit denken heeft veel westerlingen beïnvloed. In oosterse landen wordt via 'ik voel, dus ik besta' sterk de nadruk gelegd op geloof in mystiek, mythen, het lot, wonderen, rituelen en tradities en de emoties die daaruit voortkomen.

Natuurlijk is dit plaatje nog lang niet compleet en heb ik het bewust enigszins gechargeerd opgezet om de tegenstellingen scherp in beeld te brengen. Er kunnen in de praktijk nog veel meer kenmerken aan toegevoegd worden en nog meer nuances aangebracht worden. Uiteraard is er geen enkel lid van een oosterse of westerse samenleving te vinden die precies voldoet aan alle bovenstaande kenmerken. Daarom is de opsomming slechts bedoeld als een oriëntatiekader dat fungeert als een bron van moraal en opvoeding waaruit mensen van jongs af aan leren drinken.

Als bron hebben deze cultuurkenmerken wel gevolgen voor het verloop van de cultuurbepaalde communicatie. Zo heeft de nadruk op de ratio in inhoudsgerichte culturen als gevolg dat men daar leert op een afstand met elkaar te communiceren. In de praktijk betekent dat men de emoties zoveel mogelijk uitschakelt, vermijdt of verbergt. Blijft over: analyseren van feiten. Dat komt ten goede aan de ontwikkeling van techniek en wetenschap. In de vormgerichte culturen probeert men juist in de huid te kruipen van de gesprekspartner. Dat kan alleen als men letterlijk elkaar op de huid zit. Dit soort communicatie gaat vaak gepaard met emoties. Zelfs de grootse machomannen in de oosterse culturen mogen hun tranen de vrije loop laten. Hoe anders is dat in inhoudsgerichte culturen!

4.7 Conclusies

Nemen we deze cultuurkenmerken als indicatoren in ogenschouw dan kunnen we concluderen dat we bij inhoudsgerichte culturen te maken hebben met actieve culturen en bij vormgerichte culturen met passieve culturen. Waarom? Omdat de waarden die men nastreeft in de inhoudsgerichte culturen mensen over het algemeen dwingt tot het nemen van eigen initiatieven, zodat men wordt beloond voor de inspanningen. Dit, in tegenstelling tot vormgerichte culturen waar eigen initiatief nemen juist bestraft wordt, wat soms tot absurde situaties kan leiden. Zo werd in een Chinese fabriek een arbeider gegrepen door een machine, maar niemand durfde de machine uit te zetten, omdat alleen de baas op de uitknop mocht drukken (zie halverwege het artikel van bijlage 2).

Welke waarden nog meer bepalen of een cultuur in zijn essentie actief dan wel passief is en welke nadelen en voordelen eraan kleven behandel ik hierna. Hierbij merk ik op dat de voordelen van een actieve houding in een passieve cultuur meestal als een nadeel beschouwd kunnen worden en vice versa. In hoofdstuk 5 laat ik aan de hand van een aantal voorbeelden zien welke uitwerking deze voordelen en nadelen kunnen hebben op de interculturele gespreksvoering.

5 Basisvaardigheden bij interculturele gespreksvoering

5.1 Welke invloed heeft houding op cultuurbepaalde communicatie?

In het vorige hoofdstuk was de conclusie dat we culturen grofweg kunnen onderscheiden in inhoudsgerichte en vormgerichte culturen. Het opgroeien in een van beide culturen heeft weer gevolgen voor het aannemen van een actieve of passieve houding. Culturen waar het ideaal van passiviteit heerst, noem ik hier passieve culturen. Culturen waar het ideaal van activiteit heerst, noem ik actieve culturen. Voordat ik inga op de derde hoofdvraag van het boek *'Welke methodes kan men hanteren om cultuurbepaalde communicatie te verbeteren?'* moet ik eerst een stap terug doen. De vraag die hieraan namelijk vooraf gaat en die ook in dit hoofdstuk centraal staat is *'Op welke wijze beïnvloedt het aannemen van een actieve of passieve houding precies een interculturele gespreksvoering?'* Pas als hier een concreet antwoord op komt, zijn we in staat te kijken hoe we de interculturele gespreksvoering kunnen verbeteren. Ik zal met voorbeelden, soms in een dialoogvorm en soms via een beschrijving van een casus, laten zien welke concrete uitwerking deze houding kan hebben in het gesprek tussen bijvoorbeeld een hulpverlener en een cliënt.

Nederlandse ouders voeden in het algemeen hun kinderen inhoudsgericht op. Dat betekent dat waarden zoals mondigheid, eigen verantwoordelijkheid nemen, zelfstandigheid verhogen, opkomen voor je eigen mening (duidelijk maken wat je denkt, voelt en vindt) en eigen initiatieven ontplooien (duidelijk maken wat je wilt) er met de paplepel ingegoten worden. Laten we dit eens heel concreet maken door voorbeelden. In tegenstelling tot veel Marokkaanse kinderen krijgen Nederlandse kinderen elke week zakgeld en ook vaak al op heel jonge leeftijd de sleutel van het ouderlijk huis. Daardoor leren ze als kind al niet alleen om te gaan met geld, maar ook te oefenen met eigen verantwoordelijkheid nemen en zelfstandigheid vergroten.

Dat leidt weer tot een actieve instelling die later zeer gewaardeerd wordt bijvoorbeeld bij het vinden van werk.

Daarnaast speelt de positieve of negatieve invloed van de omgeving een zeer grote rol bij de ontwikkeling van een actieve of passieve houding van kinderen. Zo worden ook hier, in tegenstelling tot bijvoorbeeld Marokkaanse kinderen, de meeste Nederlandse kinderen positief gestimuleerd en aangemoedigd om door hard te blijven werken en vol te houden succes te halen. Marokkanen geven in het algemeen snel op als succes naar hun smaak te lang uitblijft of wanneer het niet meteen lukt. Bovendien heerst in de Marokkaanse omgeving vaak de mentaliteit van 'honger lijden of kaviaar eten'. Deze alles-of-nietsmentaliteit draagt niet bij aan een blijvende actieve houding. Als iets niet meteen lukt, dan lukt het ook nooit, is de redenering. Men maakt niet alleen zichzelf iets wijs met deze redenering, maar ook de ander in hun omgeving. Iets anders wat snel leidt tot een passieve houding is het respect dat Marokkanen hebben voor mensen die met intelligentie, welsprekendheid of listen en minimale moeite een maximaal succes bereiken.

Een actieve instelling komt zeker vaker voor in westers georiënteerde landen zoals Nederland dan in oosters georiënteerde landen zoals Marokko en ook vaker in stedelijke omgevingen dan op het platteland. Sowieso is dit ook de weg die past bij het streven naar zelfverwezenlijking (zie de top van de piramide volgens Maslow in paragraaf 2.8). In China of Indonesië kan deze actieve instelling een funeste uitwerking hebben. De assertieve houding, het opkomen voor je eigen belang, waar men niet aan gewend is komt al snel als agressief en bedreigend over. Dat kan weer snel tot culturele misverstanden leiden tussen bijvoorbeeld een Amerikaan en een Chinees. In de Chinese cultuur is men namelijk juist heel erg op de vorm gericht. Altijd direct vertellen wat je persoonlijk denkt of eerlijk vindt, wordt niet gewaardeerd. Mondigheid wordt dus nauwelijks gestimuleerd. Het opkomen voor de eigen mening wordt al snel als opruiend of egoïstisch bestempeld en eigen initiatieven worden meestal bestraft. Dit wordt veroorzaakt door het collectivistische gedrag van de Chinezen. Het groepsbelang of familiebelang komt altijd letterlijk voor het individuele belang. Het is betrekkelijk eenvoudig te achterhalen welke landen collectivistisch en individualistisch van aard zijn.

Passieve culturen, waarin de leden zich altijd eerst voorstellen met hun achternaam of familienaam en dan pas hun voornaam zeggen, zijn collectivistisch van aard. Actieve culturen, waarin men zich eerst voorstelt met de voornaam en pas daarna met de achternaam, zijn individualistisch van aard.

De vorm moet uiteindelijk leiden tot harmonie binnen de eigen groep, maar leidt ook noodgedwongen tot een passieve, afwachtende houding. Meestal komt het verschil in deze houding letterlijk tot uiting in het geven van voorkeur aan inhoud of vorm. Het volgende voorbeeld *uit NRC Handelsblad* van 24 april 2004 is illustratief voor het contact tussen Chinezen en Nederlanders. Nederlandse kunststudenten en docenten, die in 2004 vijf weken op het kunstinstituut van Nanjing in China doorbrachten, kwamen tot de volgende ontdekkingen toen ze gingen samenwerken met hun Chinese studenten en collega's. Zo viel het hen op dat Chinese studenten vaak eerst met een ontwerp begonnen, de vorm, terwijl Nederlandse studenten juist wordt geleerd om eerst met een idee, de inhoud, te beginnen voordat ze dat in een vorm gaan vertalen. Een ander opmerkelijk verschil was dat Chinese studenten gewend zijn om concrete opdrachten van docenten uit te voeren, terwijl in het westerse kunstonderwijs men vaker moet werken met suggesties van docenten.

Het letterlijk opvolgen van strenge instructies van bovenaf biedt weinig ruimte voor experimenten en doet vooral een beroep op loyaliteit. Binnen een bepaald kader zelf met eigen ideeën aan de slag gaan, biedt veel ruimte voor experimenten en doet een beroep op je zelfstandigheid. Dat is het verschil in een notendop tussen de Chinese en Nederlandse werkwijze. De oorzaak van deze twee verschillen ligt in de verschillende waarden die men deelt en de doelen die men nastreeft. In oosterse culturen is het vaak een eer om zoveel mogelijk in de voetsporen van je goeroe of leermeester te treden, terwijl je in westerse culturen je eigen weg moet zien te vinden. De gevolgen van deze verschillende doelen hebben invloed op de houding die men later aanneemt.

Met een actieve houding kom je voortdurend met nieuwe eigen ideeën en met een passieve houding houd je de tradities van je voorouders in stand. De actieve houding van mensen zorgt uiteindelijk dat een samenleving in zijn geheel in rap tempo verandert. Je zou kunnen concluderen dat mensen met een actieve houding minder moeite hebben met veranderingen in hun omgeving, dan mensen met een passieve houding. Hoe zo'n instelling kan uitpakken voor verschillende beroepen ligt aan de aard van de werkzaamheden. Zo kunnen uitvinders beter tot hun recht komen in een actieve cultuur dan in een passieve cultuur. Uitvinders zijn steeds bezig om iets nieuws uit te vinden. Omgekeerd gedijen profeten beter in oosterse culturen, omdat zij gehoorzame volgelingen nodig hebben om hun denkbeelden te kunnen verspreiden. Op deze manier hebben zowel actieve als passieve culturen hun eigen voor- en nadelen.

5.2 Drie basisvoorwaarden voor een geslaagde cultuurbepaalde communicatie

5.2.1 Kennis

De vraag 'welke invloed hebben actieve of passieve culturen op mijn houding' hebben we al eerder beantwoord. Nu is de vraag 'hoe kan mijn cultuurbepaalde communicatie slagen' aan de orde. Dat is afhankelijk van drie basisvoorwaarden: *kennis, empathie* en *de mate van bewustwording van de eigen culturele vanzelfsprekendheden*. De eerste voorwaarde voor een geslaagde communicatie is de wil om door middel van de formule van twee keer zo veel luisteren als praten niet alleen de ander te willen verstaan maar ook te willen begrijpen (zie ook het einde van paragraaf 3.1).

Formule eerste basisvoorwaarde:

(1 x praten) + (2 x luisteren) = (verstaan + begrijpen)

Om de ander te kunnen verstaan is het vaak voldoende om een kennisgerichte vraag te stellen zoals 'wat zegt de ander?' Om de ander te begrijpen is echter een relatiegerichte vraag nodig, zoals 'wat bedoelt de ander eigenlijk (te zeggen)?'

Schematisch:

1   Wat zegt de ander, heeft betrekking op de letterlijke boodschap (nadruk op syntaxis en morfologie).

2   Wat bedoelt de ander, heeft betrekking op de verborgen of de tweede boodschap (nadruk op semantiek).

Bij de eerste vraag kijken we puur naar de woorden (morfologie) en de volgorde waarin (syntaxis) die geuit worden. Vervolgens interpreteren we datgene wat gezegd wordt heel letterlijk. Stel dat je bezoek krijgt van je buurman Kees die in dezelfde cultuur is opgegroeid als jij. Je vraagt wat hij wil drinken: koffie, thee of fris. Het antwoord is koffie. De boodschap neem je letterlijk, dus bied je koffie aan. Dat gebeurt ons dagelijks en in alle culturen komt dat voor. Zolang mensen uit ongeveer dezelfde culturen dat doen is er meestal niets aan de hand, omdat ze immers in het algemeen weten wanneer ze de woorden wel of niet letterlijk moeten nemen.

Het wordt ingewikkelder als je deze vraag stelt aan iemand die in een andere cultuur is opgegroeid. Stel dat die buurman een oudere Marokkaan is die Abdullah heet. Hij wijst je aanbod om iets te drinken vriendelijk af. Dat doet hij niet alleen verbaal, door 'nee, dank je' te zeggen, maar ook met zijn handpalmen te zwaaien en daarbij glimlacht hij zeer vriendelijk. Dan is het niet altijd wijs om de boodschap 'nee' met de daarbij behorende gebaren letterlijk op te vatten als: hij wil niet drinken. Punt. Het zou wel eens kunnen zijn dat hij niet gewend is meteen in te gaan op jouw verzoek om wat te drinken. Marokkanen leren in de regel om wat een gastheer aanbiedt in eerste instantie een paar keer uit beleefdheid af te wijzen. Omdat de (Marokkaanse) gastheer dat weet, dringt hij er een paar keer op aan. Als Wim, een Nederlandse gastheer, onwetend is over de beleefdheidsrituelen tussen gastheer en gast binnen de Marokkaanse cultuur en Abdullah op zijn beurt onwetend is over de wijze van omgang tussen gastheer en gast binnen de Nederlandse cultuur, zullen ze zich zeer zeker vroeg of laat aan elkaar gaan ergeren. Abdullah zal zijn gastheer namelijk erg gierig vinden omdat hij niet meer aandringt om toch wat te eten of te drinken na zijn beleefde afwijzing.

Eenmaal op bezoek bij Abdullah zal Wim het op zijn beurt erg opdringerig vinden van Abdullah als hij nog meer eten en drinken op tafel zet, terwijl hij al een paar keer 'nee' heeft gezegd en hij bovendien genoeg gegeten en gedronken heeft. Als niemand ingrijpt in deze situatie en uitlegt aan hen dat Wim en Abdullah ieder op hun eigen manier invulling geven aan hun gastvrijheid dan zullen ze al snel de buik vol van elkaar hebben. Wim en Abdullah zullen vanuit zichzelf dat in het begin niet zo snel door-hebben, omdat zij zich daar totaal niet van bewust zijn. Daarnaast zullen ze, eenmaal op bezoek bij elkaar, niet zo snel hun irrita-tie(s) laten zien om de ander niet te kwetsen en de lieve vrede te bewaren. Om dit politiek correct gedrag te doorbreken is inter-ventie van buitenaf onontbeerlijk. Bijvoorbeeld van iemand die in twee culturen is opgegroeid en zich bewust is van hoe dezelfde waarden, zoals gastvrijheid in dit voorbeeld, in de praktijk wor-den ingevuld.

Het wel of niet letterlijk nemen van bepaalde boodschappen is af-hankelijk van het begrijpen van cultuurspecifieke humor, bepaal-de uitdrukkingen en de (dubbele) betekenis die woorden kunnen hebben. Als een lerares tijdens een goed gesprek met de Turkse ouders plotseling zegt dat zij hun tienjarige dochter Belgin eigen-lijk wel een scheetje vindt, dan bedoelt ze niet dat zij stinkt, zoals de ouders wellicht zullen denken, maar dat het een schatje is. Hetzelfde geldt wanneer een Algerijnse vrouw, op koffiebezoek bij een Nederlandse buurvrouw, haar man mijn slak noemt. Daar-mee bedoelt ze niet dat hij langzaam is, maar mijn schatje. Het letterlijk nemen van woorden kan in de praktijk soms tot grote hilariteit leiden, zoals uit de volgende anekdote blijkt.

> Een Nederlandse zakenman wordt uitgenodigd door zijn Egyptische vriend in Cairo. De Nederlander, genaamd Jan Versteegh, maakt een compliment over zijn mooie vaas: 'Goh, wat een mooie vaas!' De Egyptenaar, Ali Mubarak, pakt onmiddellijk de vaas en geeft die ca-deau aan de Nederlander die enigszins verrast is, maar het cadeau dankbaar aanneemt. Als de Egyptische zakenman een tegenbezoek brengt in Nederland ziet hij een mooi schilderij hangen. Ali maakt een compliment: 'Goh, wat een mooi schilderij!' Jan antwoordt: 'Ja, dat vind ik ook', maar geeft het schilderij niet weg als cadeau. Ali vindt het gedrag van Jan onbeleefd, ja zelfs onbeschoft. Zijn ver-trouwen in Jan is geschaad. Hij zweert bij Allah dat hij nooit met Jan zaken wil doen. Jan, die zich van geen kwaad bewust is, vindt het vervolgens raar dat Ali na zijn bezoek niets meer van zich laat horen.

Kijken we naar dit voorbeeld, dan zien we hoe gevoelig mensen kunnen reageren op onbegrepen culturele codes. In dit geval leidt de miscommunicatie tussen Jan en Ali tot een definitieve relatie-breuk. Wijzer geworden van deze ervaring met Ali zal Jan in het vervolg voorzichtiger zijn met het complimenteren van attribu-ten bij een Arabische gastheer en zeker met het aannemen van ge-schenken. Dat is jammer, want dat gaat ten koste van zijn spon-taniteit. Bovendien zijn er genoeg andere Ali's die op het compli-ment van Jan heel anders zullen reageren, misschien wel op pre-cies dezelfde wijze als Jan in dit voorbeeld. Daarom kan Jan in contact met mensen van andere culturen, die de gastvrijheid wel-licht anders interpreteren, zich vaker de tweede vraag stellen 'wat bedoelt hij (te zeggen)?' Dan pas komt hij wellicht achter de ver-borgen boodschap. Soms is dat lastig, zelfs wanneer je van dezelf-de cultuur afkomstig bent, omdat bepaalde woorden in bepaalde situaties heel andere betekenissen kunnen krijgen. Als je dan de boodschap in de letterlijke betekenis van het woord neemt, krijg je snel misverstanden, irritaties en soms ruzies. Het volgende voorbeeld kan dit illustreren:

Toen ik in 1990 als jonge student een studiereis van Pax Christi maakte door Marokko sprak een Marokkaanse douanier mij op de terugweg bij de Marokkaans-Spaanse grens aan. Hij vroeg mij op een vriendelijke manier het volgende: 'Is er nog koffie?' In mijn naï-viteit dacht ik dat hij wat te drinken wilde en geen kleingeld bij zich had. Dus wilde ik hem op mijn laatste dag in Marokko wel trakteren. Aangezien ik nergens in de buurt koffie of thee kon kopen, pakte ik uit mijn reistas een blikje fris. Hij wees mijn gebaar onmiddellijk af, keek me verbaasd en een tikkeltje minachtend aan, stempelde ver-volgens enigszins geërgerd mijn paspoort af waarna ik de grens kon passeren. Ik raakte zelf ook beetje geïrriteerd door zijn gedrag. Ik kreeg stank voor dank, vond ik. Pas later besefte ik dat 'koffie' in Marokko staat voor 'fooi'. Vaak wordt zo'n fooi ook als een steek-penning gezien!

We hebben gezien dat niet alleen mensen van verschillende cul-turen elkaar kunnen misverstaan, maar ook mensen van dezelfde dominante cultuur. Hieronder volgt een schematisch overzicht van de factoren die nog meer van invloed zijn op het voorspellen van het slagen van de cultuurbepaalde communicatie. Ze zijn in de vorm van vijf vragen opgesteld (in vertakking weergeven).

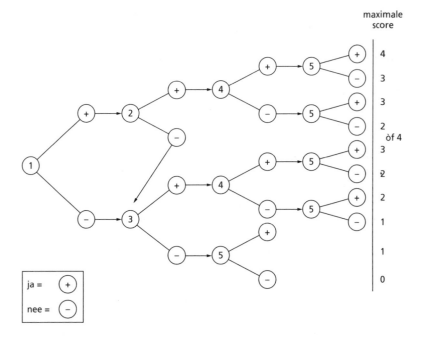

1 Delen de gesprekspartners dezelfde (dominante) cultuur?
ja/nee
2 Spreken ze dezelfde moedertaal?
ja/nee
3 Spreken ze één gemeenschappelijke taal?
ja/nee
4 Beheersen beide sprekers deze taal in voldoende mate?
ja/nee
5 Doen ze hun best om elkaar te begrijpen?
ja/nee

**Figuur 5.1 Vertakkingsschema voor de voorspelling van de slagingskans van cultuurbepaalde
communicatie**

Een vraag die met een nee wordt beantwoord krijgt geen punt.
Een vraag, die met een ja wordt beantwoord krijgt één punt. De
hoogste score is dus 4 punten. Deze score staat borg voor de hoogste slagingskans op succesvolle cultuurbepaalde communicatie.
De laagste score is een 0, die tevens ook de laagste slagingskans
voor succesvolle communicatie aangeeft. Uiteraard kan dit model

verder verfijnd worden. Dat twee mensen dezelfde cultuur delen biedt nog geen betere garantie op de maximale score van 4 punten. Uit dezelfde cultuur afkomstig zijn wil helemaal niet zeggen dat ze uit dezelfde streek, stad of hetzelfde dorp komen, laat staan dezelfde denkbeelden, omgangsvormen en idealen delen. Het kan ook gaan om het delen van de dominante cultuur. Omgekeerd kunnen twee mensen die oorspronkelijk uit twee totaal verschillende culturen komen, de hoogste score halen (4 punten). Bijvoorbeeld: twee vrienden, een Koreaan en een Marokkaan, allebei student aan een Hogeschool en allebei opgegroeid in Nederland delen niet alleen dezelfde dominante cultuur (dat is de Nederlandse), maar spreken ook nog eens het Nederlands als gemeenschappelijke taal in voldoende mate en doen, omdat ze bevriend zijn, hun best om elkaar te begrijpen.

Daarnaast biedt dit model nog ruimte om andere factoren die van belang zijn op het verloop van communicatie op te nemen.

Andere factoren die van invloed kunnen zijn op de communicatie is de manier van elkaar (beleefd) aanspreken. Dat kunnen we heel goed illustreren met de twee Indonesische werkwoorden: minta (= beleefd verzoeken) en perintah (= eisen of bevelen). In de omgang luisteren Indonesiërs beter naar zinnen die beginnen met *saya minta* (*ik verzoek u* of *mag ik alstublieft*) dan *saya perintah* (*ik eis* of *ik beveel*).

In zowel de Marokkaanse als Somalische spreektaal ontbreekt een verschil tussen een vriendelijke en minder vriendelijke manier van vragen om iets te doen of te laten. Men maakt in het dagelijkse leven geen onderscheid tussen vriendelijk verzoeken en gewoon botweg eisen. In het Marokkaans worden ook de allervriendelijkste verzoeken meestal in gebiedende wijs uitgesproken. Eenmaal op bezoek bij een traditionele Marokkaanse familie hoor je als gast altijd: 'zit!', 'drink!', 'eet!', enzovoorts.

Behalve dit verschil in de manier waarop men beleefdheden uitwisselt is er ook een verschil in het gebruik van de stem (hard en zacht) en de afstand die men neemt van de gesprekspartner (veraf en dichtbij). Terwijl Indonesiërs gewend zijn om zeer dichtbij, maar wel kalm en op zachte toon met elkaar te spreken, lijken Somaliërs die bij elkaar klitten, met elkaar te ruziën als ze met elkaar gezellig samenzijn. Daarom kan een Somaliër die in Nederland op een luide toon en op korte afstand aan de baliemedewerker van de gemeente vraagt: 'Ik moet een nieuw paspoort hebben', meestal op weinig begrip rekenen.

Ook mimiek kan de nodige irritatie opwekken in de communicatie tussen mensen van verschillende culturen. Zomaar zonder reden naar elkaar glimlachen bijvoorbeeld, wat ik in Indonesië tot mijn grote vreugde veelvuldig op straat meemaakte, kan in Nederland tot onbegrip leiden, doordat het als een persoonlijke belediging opgevat kan worden. Er is namelijk altijd een reden waarom iemand (glim)lacht. Zeker wanneer daarop een vraag volgt als: 'Hoe gaat het met je?'

Enkele voorbeelden uit de praktijk.

> Een kantinemedewerker, die van Pakistaanse afkomst is en bij een grote Nederlandse bank werkte, kreeg van de manager te horen dat hij voortaan niet meer zo belangstellend en met een grote glimlach moest vragen hoe het met de leden van het bankpersoneel ging als zij bij hem het eten kwamen opscheppen.

> Als docent maakte ik een keer mee dat een wat oudere Nederlandse studente, die ik begeleidde met haar afstuderen, mijn vrolijke gedrag als een vorm van superieur gedrag ervoer. Toen ik haar doorvroeg waaruit dat superioriteitsgevoel bleek antwoordde ze dat dit lag aan mijn 'eeuwige' glimlach.

Op het gebied van de interpretaties van een glimlach zijn er de nodige miscommunicaties ontstaan. Het interpreteren van (zomaar) (glim)lachen als 'waarom lacht hij zo stom naar mij?' of 'wat fijn, zo'n vrolijke ontmoeting!' beïnvloedt de communicatie al bij voorbaat.

Ook de interpretatie van gebarentaal kan voor de nodige irritaties zorgen. Zo ontvingen een paar Nederlandse rijksambtenaren een Marokkaanse delegatie om nader met elkaar kennis te maken en informatie uit te wisselen. De sfeer was goed totdat een mannelijke Marokkaanse overheidsdienaar zijn gezicht wendde naar een vrouwelijke ambtenaar en met zijn vinger in zijn lege kop (koffie) wees. Zij begreep zijn gebaar onmiddellijk (hij wil meer koffie), maar ze voelde dit gebaar als denigrerend en willigde zijn verzoek niet in.

Van alle factoren die de communicatie in negatieve zin kunnen beïnvloeden, vormt het uitgaan van vanzelfsprekendheden de grootste stoorzender.

Een voorbeeld.

Toen een Nederlandse delegatie, met aan het hoofd een jonge directeur, op bezoek was in Marokko vielen twee zaken op. Bij aankomst op het vliegveld van Casablanca stond een mooie auto klaar voor de directeur. Omdat de Marokkaanse delegatie de oudste man in het Nederlandse groepje aanzag voor de directeur werd hij naar de auto gedirigeerd. De rest van de delegatieleden, inclusief de jonge directeur, werd vervoerd in een busje. Eenmaal aangekomen viel het op dat bij een gezamenlijke vergadering alleen de Marokkaanse directeur het woord voerde. Bij de Nederlandse delegatie ging het er democratischer aan toe. Iedereen zei wel wat.

Verderop in de tekst meer over het verschijnsel *vanzelfsprekendheden*.

5.2.2 Empathie

Om de ander goed te begrijpen is behalve kennis ook empathie nodig, de tweede basisvoorwaarde.* Was het zo dat de eerste basisvoorwaarde, kennis, vooral met het hoofd verkregen wordt, de tweede moet vooral met het hart gebeuren. Empathie in het algemeen (in het bijzonder: zie culturele empathie in paragraaf 1.5) houdt in dat men zich zoveel mogelijk in de andere gesprekspartner probeert te verplaatsen zonder dat men zich helemaal vereenzelvigt met de ander. Dat is een paradox waarmee veel hulpverleners kampen. Aan de ene kant moeten ze vanuit hun professionele houding een zekere afstand bewaren tot de cliënt, maar tegelijkertijd moeten ze moeite doen om heel dicht bij de belevingswereld van de cliënt te komen, zodat zijn of haar verhaal alle ruimte krijgt en de hulpverlener hem of haar beter begrijpt. De

---

* Dat de mens ook empathie gebruikt in de jacht naar een dier is minder bekend. De pygmeeën bijvoorbeeld zetten empathie in als een tactiek om te achterhalen in welke richting hun prooi, zoals een eland, loopt als het geen duidelijke voetsporen achterlaat. Zij kruipen als het ware in de huid van hun prooi en proberen zijn 'weg' te volgen. Vaak met succes.

cliënt kan alleen dan zijn of haar verhaal vertellen aan de hulp-verlener als er vertrouwen ontstaat. Dat de manier waarop men vertrouwen verwerft afhangt van welke houding de cliënt aan-neemt, een passieve of een actieve, zal straks uit voorbeelden blij-ken.

5.2.3 Bewustwording vanzelfsprekendheden

Een derde basisvoorwaarde om de communicatie te laten slagen is afhankelijk van de mate van bewustwording van de eigen cultuur. Mensen communiceren met elkaar zoals ze dat van jongs af aan-geleerd hebben. Dat betekent dat we in de communicatie vaak uitgaan van denkbeelden of gewoonten die vanzelf spreken: van-zelfsprekendheden. In het dagelijkse leven staat men doorgaans nooit stil bij het feit dat het gedrag dat men vertoont via opvoe-ding, school en omgeving is aangeleerd. Dat hoeft ook niet, want communicatie tussen twee mensen van dezelfde cultuur verloopt vaak normaal zolang ze zich niet storen of ergeren aan de vanzelf-sprekendheden van de ander, zoals de wijze van begroeting. In de communicatie tussen twee mensen uit verschillende culturen is het wel zinvol stil te staan bij de vanzelfsprekendheden. Het is al-leen lastig dat het ontdekken ervan niet automatisch gaat. Vaak gebeurt dat door schade en schande (ervaring) en soms heb je het geluk dat je er door de ander op gewezen wordt (kennis). Vanzelf-sprekendheden vallen des te meer op als twee mensen van ver-schillende culturele achtergrond elkaar voor de eerste keer ont-moeten en spreken. De volgende dialoog is illustratief voor mis-communicatie.

Dialoog 8: Cultuurverschillen

Harrie: *In jullie cultuur houden jullie je niet strikt aan de tijd. Jullie kijken niet echt op als iemand een kwartiertje te laat komt.*

Haroen: *Dat klopt.*

Harrie: *Jullie houden erg veel van het leven, daarom geven jullie altijd wat meer uit aan eten, drinken en vertier.*

Haroen: *Dat klopt.*

Harrie: *Jullie zijn joviaal, extravert en toch bescheiden.*

Haroen: *Dat klopt.*

Harrie: *Jullie groeten elkaar altijd beleefd. Zelfs bij het instappen in de bus.*

Haroen: *Dat klopt.*

Harrie: *Wat ben ik toch goed op de hoogte van jullie cultuur! Waar kom je eigenlijk vandaan?*

Haroen: *Ik ben een echte Brabander!*

5.3 Conclusies

Uit dialoog 8 is ook duidelijk geworden dat kennis over cultuur-verschillen niet per se uitkomst biedt voor betere communicatie. Kennis kan uiteraard helpen, maar vormt zeker niet de belang-rijkste basisvoorwaarde voor succesvolle communicatie. Wat is dan wel de basisvoorwaarde tot het voeren van een geslaagde interculturele gespreksvoering? Dat is bewustwording van de eigen houding ten opzichte van de ander. Om bewust te worden van de eigen houding moeten we een aantal vaardigheden leren op het gebied van interculturele gespreksvoering. Deze drie componen-ten (kennis, houding en vaardigheden) zijn noodzakelijk om als professional goed te kunnen functioneren. Ik zal verderop de uit-gewerkte casussen en de dialogen, zoals die tussen *Harrie* en *Haroen*, eerst analyseren en dan daarop reflecteren. Daarbij zal ik me niet alleen focussen op de inhoud, maar ook op de vorm. Ik han-teer daarbij het brugmodel.

6 Het brugmodel als antwoord op miscommunicatie

6.1 Introductie brugmodel W & B

In dit hoofdstuk volgt het antwoord op de volgende vraag: 'Welke methode kun je gebruiken om de interculturele gespreksvoering in de praktijk te verbeteren?' Het antwoord is het brugmodel van waarden en belangen, dat het intercultureel communiceren hoofdzakelijk kenmerkt en verderop met voorbeelden uit de praktijk wordt uitgewerkt. Dit model doorloopt de volgende drie stadia:

1   Probeer te achterhalen welke waarden en/of belangen in een bepaalde situatie een rol spelen in het contact met de ander en check dat ook bij de ander.
2   Ga na welke waarden en/of belangen in jouw communicatie met de ander een rol spelen en maak dat duidelijk aan de ander (uitleg!).
3   Besluit welke waarden en/of belangen voor jou de hoogste prioriteit genieten in een gegeven situatie en gedraag je daarnaar.

Bij elk stadium hoort een streven. Schematisch weergegeven:

Stadium 1: verzamelen van kennis over de ander
           (wat kan ik weten?)
Stadium 2: uitspreken verwachtingen en normen
           (hoe wil ik met de ander omgaan?)
Stadium 3: vertalen verwachtingen in concreet gedrag
           (wat doe ik?)

Alledrie de stadia belichten achtereenvolgens: waarden, normen en belangen. Een waarde geeft antwoord op 'waarin geloven wij?', een norm 'hoe willen we met elkaar omgaan?' en belangen 'welke doelen streven we na?' Normen zijn hier niet apart in het brugmodel opgenomen, omdat zij meestal de concrete invulling geven van een waarde. Bovendien zijn normen onderhevig aan verandering. Dat komt doordat mensen, overal ter wereld, zich in de communicatie ook laten leiden door hun belangen (vergelijk eigen belang versus algemeen belang). Mensen moeten bijna dagelijks een juiste balans vinden tussen hun waarden en belangen. Die kunnen met elkaar botsen. Zo wordt binnen veel strenge Marokkaanse moslimfamilies de norm 'roken is binnenshuis niet toegestaan' strikt gehandhaafd voor alle familieleden. Maar als een buitenlandse gast op bezoek komt wordt het rookverbod onmiddellijk opgeheven. Het belang om de gast het zoveel mogelijk naar zijn zin te maken, weegt dan zwaarder.

Het resultaat van het eerste stadium is kennis, het tweede is verheldering van de (eigen) normen en bewustwording van vanzelfsprekendheden, het derde is besluitvorming. Alle stadia doen beroep op drie niveaus: kennis, vaardigheden en houding. Hierna zet ik een aantal gespreksgeboden op een rij, waarmee je rekening kunt houden als je in gesprek gaat met een persoon uit een andere cultuur. De drie stadia, die elk ingeleid worden met een tip, zal ik verder uitwerken met voorbeelden.

AD 1 WEES NIEUWSGIERIG EN ONBEVANGEN!

Bij *kennismaking* zijn drie dingen noodzakelijk: formule twee keer luisteren dan praten en (kennisgerichte) vragen stellen.
Bij luisteren: niet alleen op verbale uitingen letten, maar ook op lichamelijke signalen.
Bij praten: vermijd vanzelfsprekendheden.
Bij vragen: vermijd suggestieve vragen.

AD 2 WEES OPRECHT EN RESPECTVOL!

Bij empathie: niet alleen verplaatsen in de situatie van de ander, maar ook proberen die aan te voelen en daarop juist te reageren.

AD 3 WEES CONSEQUENT EN BESCHEIDEN!

Bij besluiten: woord en daad moeten zoveel mogelijk overeenkomen.

Het succesvol doorlopen van deze drie stadia moet uiteindelijk leiden tot inzichten om een betere *verstandhouding* te bewerkstelligen tussen de gesprekspartners, omdat de *verwachtingen* over en weer zijn uitgesproken. Daarnaast is men bewust van de eigen culturele *vanzelfsprekendheden*.

6.2 Toepassing brugmodel W & B

Ik zal nu het brugmodel aan de hand van casussen op vier verschillende terreinen uitwerken. Zo kun je zien waar de misverstanden en irritaties in de hulpverlening voorkomen.

1 Misverstanden in relaties aanknopen (privé of zakelijk).
2 Irritaties vanwege 'ja zeggen, nee doen'.
3 Irritaties vanwege vanzelfsprekendheden.
4 Irritaties vanwege taalgebruik en rol van man en vrouw.

AD 1 MISVERSTANDEN IN RELATIES AANKNOPEN

Vaak lopen ontmoetingen tussen mensen van verschillende culturen al stroef doordat men een verschillende kijk heeft op het contact maken. In passieve culturen wordt meestal geen onderscheid gemaakt tussen een privé- en zakelijk contact. Dat kan voor problemen zorgen.

Laten we eens de ontmoeting tussen Jan en Ali (zie anekdote in paragraaf 5.2.1) uitwerken, die met elkaar een relatie willen aanknopen en daarop het brugmodel toepassen. We beginnen daar waar Jan een compliment maakt over een vaas in de huiskamer van Ali. Het gesprek vindt plaats in het Engels. In het Engels maakt men geen onderscheid tussen jij en u, vandaar dat zij elkaar vanaf het begin tutoyeren.

Jan: *Dit is een erg bijzondere vaas!*
Ali: *Vind je hem mooi?*
Jan: *Ik vind hem prachtig. Vooral erg mooi versierd.*
Ali: *Je mag hem hebben.*
Jan: *Meen je dat nou?*
Ali: *Ja, zie het maar als een cadeau, een souvenir. Een herinnering aan jouw bezoek aan Egypte.*
Jan: *Nou, daar ben ik zeer dankbaar voor.*
Ali: *Niets te danken. Het is een kleine vriendendienst.*

Het eerste stadium bestaat uit kennis over de ander verzamelen. Als Jan niet eenzijdig was geïnformeerd over het krijgen van cadeaus (als je van een Arabier een cadeau krijgt mag je het niet weigeren), en even had gecheckt hoe hij dit gebaar moest interpreteren, dan had hij heel anders gereageerd.

Jan: *Ik waardeer je gebaar enorm, maar ik vind deze vaas hier toch beter tot zijn recht komen.*

Hij wijst het cadeau niet direct af, maar bedankt hem wel voor zijn gebaar. Bovendien laat hij merken dat hij de waarde van Ali, zijn gastvrijheid, zeer waardeert. 'Het gezicht' van de gastheer is op deze manier gered. Beiden kunnen nu verder praten. Als Ali tot drie keer bij Jan zou aandringen om zijn cadeau aan te nemen, kan Jan als volgt reageren:

Jan: *Je zou me een groot plezier doen als deze vaas hier blijft.*

Blijft Ali meer dan drie keer aandringen, dan zit er voor Jan niets anders op dan het cadeau aan te nemen. In dat geval wil Ali zijn vaas beslist cadeau geven aan Jan, omdat Ali dat wil en niet omdat de codes van zijn gastvrijheid hem daartoe verplichten. Het belang van Ali om een cadeau te geven aan Jan zou kunnen zijn: een vriendschapsrelatie opbouwen.

Als Jan aan de hand van het tweede stadium nagaat welke waarden en belangen op dat moment bij hem zelf spelen, komt hij wellicht tot de volgende conclusies. De waarde van Jan is respect tonen voor de gebruiken en rituelen in het huis van zijn gastheer Ali. De waarde waar Ali zeer aan hecht is dezelfde als waar Jan nu (met mate) van geniet: gastvrijheid. Het belang van Jan is, net als Ali, ook een relatie opbouwen, maar dan zakelijk van aard. Hier zien we dat de waarden (respect en gastvrijheid) door beiden zeer gewaardeerd worden.

Kijken we echter naar de belangen, dan zien we een groot verschil in de concrete invulling ervan. Hoewel zowel Jan als Ali een relatie wil opbouwen, wil Jan slechts een zakelijke relatie en Ali meer dan dat. Hij wil een vriendschapsrelatie. Ali wil graag eerst Jan als een vriend leren kennen, alvorens hij met hem zaken kan doen. Ali kan pas zaken met iemand doen als hij zijn zakenpartner als een goede vriend kan vertrouwen. Ali wil uitdrukking geven aan zijn prille vriendschap met Jan door hem iets van zichzelf cadeau te geven (vorm). Voor Jan is eerst een vriendschapsrelatie opbouwen niet per se nodig om zaken met elkaar te doen. Jan vertrouwt meer op afspraken die ze in de vorm van contracten op schrift vastleggen (inhoud). In dit tweede stadium moet Jan duidelijk zijn verwachtingen uitspreken, waardoor Ali zicht krijgt op de normen die Jan graag hanteert. Als Jan bijvoorbeeld geen vriendschapsrelatie wil opbouwen met Ali, maar een zakelijke relatie, zou Jan het volgende kunnen opmerken:

Jan: *In Nederland hoef je niet per se met elkaar bevriend te zijn om met elkaar zaken te doen. Zo ben ik opgevoed. We hebben daar zelfs een uitdrukking voor: beter een goede buur dan een verre vriend. Hoe gaat dat hier eigenlijk in zijn werking?*

Ali weet nu welke norm Jan hanteert (zaken en privé kunnen heel goed gescheiden worden). Stel dat Ali het volgende antwoordt:

Ali: *Hier maken we geen verschil tussen mensen die onze vrienden zijn en mensen met wie we zaken doen. Ikzelf doe liever geen zaken met mensen, die geen vrienden van mij zijn of worden.*

Door dit antwoord weet Jan zeker waardoor Ali gedreven wordt (= opbouwen vriendschapsrelatie). Jan bevindt zich in het laatste stadium. Hij moet aan de hand van het resultaat van stadium twee (= de reactie van Ali) besluiten wat hij gaat doen. De vraag die hij zelf moet beantwoorden is in hoeverre hij zich wel of niet aanpast aan de waarden en belangen van Ali. Wel of geen vriendschapsrelatie opbouwen? Jan moet nu in *woord en daad* duidelijk maken aan Ali op welke wijze hij met hem verder wil: als vriend of zakenpartner. Elk besluit heeft zijn consequenties. Ter illustratie geef ik de volgende twee mogelijke besluiten:

1   Jan kiest ervoor geen vriendschapsrelatie met Ali op te bouwen. Hij zal in het vervolg geen afspraken meer maken bij Ali thuis, maar bijvoorbeeld op neutraal terrein (in de stad, op kantoor, enzovoort).

2   Jan stemt in om behalve een zakelijke relatie ook een vriendschapsrelatie op te bouwen. Het zal hem veel tijd en energie
kosten om de cultuur van Ali beter te kennen om zo een
vriendschapsband met Ali te ontwikkelen alvorens hij op
termijn zaken kan doen.

Natuurlijk bevatten beide besluiten een risico. Het einde van een
relatie ligt op de loer. Het kan zijn dat Ali het eerste besluit uiteindelijk niet accepteert of dat Jan bij het tweede besluit uiteindelijk afhaakt omdat het toch te veel offers van hem vraagt.

6.3 Casussen

Nu we kennis hebben gemaakt met de essentie van het brugmodel en hoe je dat kunt toepassen in de praktijk volgen nu casussen
uit de hulpverlening. Ik heb telkens voorbeelden genomen, waar
vaak irritaties kunnen ontstaan tussen mensen met verschillende
culturele achtergronden.

AD 2 IRRITATIES VANWEGE 'JA ZEGGEN, NEE DOEN'

In de hulpverlening ontstaan veel problemen en irritaties met allochtonen doordat ze vaak 'ja zeggen en nee doen'. Denk aan afspraken maken. Dat het bijbelcitaat 'Hij zei ja! Maar hij ging niet!'
nog steeds actueel is bewijst het volgend waar gebeurde verhaal.

Casus 1 Ja zeggen, nee doen

*Karima is een alleenstaande Marokkaanse moeder van rond de der-
tig jaar met drie kinderen tussen de één en zes jaar. Ze verblijft in
het centrum maatschappelijke opvang (CMO). Dit centrum, ook wel
bekend als crisisopvang, bevordert de zelfstandigheid en de maatschappelijke positie van zijn cliënten. Iedere woensdagmiddag kunnen ouders en kinderen meedoen met bewonersactiviteiten, zoals
bingo, knutselen of een boswandeling maken. Deelname is vrijblij-
vend, maar aanwezigheid van de ouder is verplicht. Karima besluit
met haar kinderen mee te doen. De eerste keer loopt alles naar
wens. Na de eerste keer vertoont Karima een paar keer gedrag dat
al snel tot irritatie leidt bij de opvangmedewerkster Fiona. Zij stapt
namelijk telkens halverwege de activiteit op en laat tegen de regels
in, meestal zonder iets te zeggen, haar oudste kind van zes jaar achter. Fiona laat bij de derde keer weten dat ze het vervelend vindt*

*dat Karima zomaar weggaat en vraagt waarom ze dat doet. Karina
antwoordt: 'Ik moest even snel boodschappen doen en dat was makkelijker zo.'*

*Als Karima dit gedrag drie keer herhaalt, raakt het geduld van Fiona
op. Het volgende gesprek ontspint zich.*

Fiona: *Wat jij doet mag helemaal niet. Dit is al de derde keer dat ik dat
tegen je zeg. Ik wil geen oppascentrale spelen. Ik zeg het maar nog een
keer: blijf je er de volgende keer helemaal bij of neem je al je kinderen
gewoon mee?*
Karima: *Ja, dat is goed.*

Vervolgens vertoont Karima na dit gesprek weer hetzelfde gedrag.
Fiona vindt dat zij Karima niet meer kan vertrouwen, omdat zij
'ja' zegt en 'nee' doet. Fiona vermijdt Karima als de pest. Karima
is zich niet bewust van haar in haar ogen onschuldige gedrag.
Eigenlijk is het niet vreemd dat dit gesprek in een mineur eindigt,
want Fiona heeft daar door haar manier van 'ondervragen' zelf
aan bijgedragen. De eerste keer dat ze daar iets van zegt, laat ze
meteen weten wat ze er persoonlijk van vindt (vervelend) om
haar daarna meteen ter verantwoording te roepen (waarom). Dit
komt zeer confronterend over op iemand die helemaal niet gewend is aan de directe communicatiestijl. Bovendien is het voor
Karima niet moeilijk om een reden te geven (ik moest boodschappen doen) of desnoods een smoes te verzinnen. Met het brugmodel zou Fiona eerst moeten proberen te achterhalen welke waarden en/of belangen Karima zelf hecht aan het bijwonen van de
activiteit op de woensdagmiddag. Laten we eens kijken hoe anders het gesprek met behulp van het brugmodel zou verlopen. We
pakken het gesprek op nadat Karima voor de derde keer opstapt.

Fiona: *Het valt niet mee om je drie kinderen op te voeden en dan ook
nog eens de activiteit op de woensdagmiddag proberen bij te wonen.
Hoe doe je dat allemaal?*

Deze inleiding, die eindigt met een open vraag, is niet alleen bedoeld om culturele empathie te laten zien, maar ook om de achtergrond van Karima beter te leren kennen. Zo kunnen ze voor el-

kaar meer begrip en respect krijgen. Het gesprek gaat verder. Karima antwoordt.

Karima: *Ja, mijn kinderen van één, drie en zes jaar hebben veel aandacht nodig. Ze zijn ook zo druk als ze zich thuis vervelen. Dan geef ik ze speelgoed, neem ze mee naar buiten of ga ik naar de activiteit op de woensdag.*
Fiona: *Wat gebeurt er eigenlijk als je geen tijd voor ze vrij maakt?*
Karima: *Dan maken de twee broertjes soms ruzie om niets. Dan moet ik ingrijpen. En ik heb ook nog het jongste kind, dat regelmatig huilt. Dat geeft veel stress. Het liefst wil ik dat twee broertjes buiten spelen, maar dan onder toezicht. Daarom kom ik graag met ze naar de activiteit. Ik kan ze aan jou wel toevertrouwen. Dan heb ik rust en kan ik soms even weg om iets anders te doen.*

Fiona is door twee vragen erachtergekomen dat Karima de activiteit uit praktische overweging bijwoont. Zij doet dat vooral om haar twee oudste kinderen - onder toezicht - bezig te houden om zo van haar rust te genieten of iets anders te doen of te regelen. Om er zeker van te zijn dat wat Fiona denkt ook waar is, geeft ze heel kort de essentie van het gesprek weer en checkt dat bij Karima.

Fiona: *Ik begrijp dat je de activiteit vooral voor je kinderen doet om een beetje rust te vinden of iets te regelen. Klopt dat?*

Als Karima deze vraag bevestigend beantwoordt, door bijvoorbeeld ja te knikken, heeft Fiona de essentie van het gesprek goed samengevat. In het geval dat Karima ontkent moet Fiona net zo lang doorvragen totdat zij tot de kern van het gesprek komt. Pas dan gaat ze door naar het tweede stadium, waarin zij Karima uitlegt hoe zij zelf hierover denkt.

Laten we veronderstellen dat Karima de activiteit bijwoont om rust te vinden. Zij vindt het wel makkelijk dat Fiona op haar kinderen past. Fiona wil echter niet als oppascentrale spelen. Zij wil dat Karima zich houdt aan de regels voor het bijwonen van de activiteit. Daarnaast vindt Fiona dat Karima de volle verantwoordelijkheid draagt voor haar kinderen. Nu moet Fiona aan Karima duidelijk maken dat haar belang niet strookt met de hele opzet van de activiteit. Fiona zou, in stadium 2, het volgende kunnen opmerken.

Fiona: *Ik heb begrip voor jouw situatie. Moeders komen voor alles tijd tekort. Toch wil ik je vertellen dat ik het niet eens kan zijn met jouw reden voor het bijwonen van de activiteit. Je kent de regels; de activiteit bijwonen is helemaal niet verplicht, maar als je meedoet dan moet je er echt de hele tijd bij zijn. Als iedereen doet wat jij doet dan kunnen wij ons werk niet meer goed doen. Iedere moeder is verantwoordelijk voor haar kinderen. Ik hoop daarom dat je ook begrip hebt voor onze regels.*

Fiona heeft op deze (beleefde) manier duidelijk gemaakt wat zij van Karima verwacht (houden aan regels), welke waarde hierin een rol speelt (verantwoordelijkheid nemen) en tegelijkertijd Karima in haar waarde gelaten (ik heb begrip voor je situatie). Het is nu de taak van Fiona om, via herhaling van stadium 1, te controleren bij Karima of haar boodschap goed is overgekomen. Zij kan bijvoorbeeld aan Karima vragen wat zij van de regels vindt, hoe zij zelf tegen de waarde 'verantwoordelijkheid nemen' aankijkt of deze invult en wat haar opvattingen zijn van de hulpverlening.

Stel dat Fiona erachter komt dat Karima in elk geval haar oudste kind eigenlijk ziet als een jongvolwassene en dat hij daarom heel goed alleen gelaten kan worden bij de activiteit. Fiona moet nu besluiten hoe strikt zij de regels moet interpreteren. Moet zij met deze nieuwe informatie een uitzondering maken of niet? Laten we aannemen dat Fiona dat niet wil. Dan zijn we beland in het derde stadium. Hier moet Fiona consequent handelen naar wat ze zegt wel of niet te doen. Eventueel kan ze een suggestie doen om het 'oppasprobleem' van Karima op te lossen. Fiona zou het gesprek kunnen afsluiten met de volgende opmerking.

Fiona: *Je bent altijd welkom om onze activiteit bij te wonen. Mocht je haar een keer, om wat voor reden dan ook, niet helemaal bij kunnen wonen, dan kan dat altijd, maar dan wil ik dat je je kinderen ook meeneemt. Als je op zoek bent naar oppas voor je kinderen, dan wil ik je daarbij graag helpen.*

Met het brugmodel leren Fiona en Karima elkaar echt kennen en respecteren, doordat ze zich bewust worden van hun vanzelfsprekendheden op het gebied van hun moraal, hun verwachtingen en wat de ander drijft om iets te doen of te laten. Zij scoren met het brugmodel maximaal een 4 op het vertakkingsschema voor voorspelling van slagingskans cultuurbepaalde communicatie (zie figuur 5.1 paragraaf 5.2.1). Ze delen namelijk dezelfde dominante cultuur (+1), ze spreken het Nederlands als gemeenschappelijke taal (+1), die ze beiden in voldoende mate beheersen (+1), en doen hun best om elkaar te begrijpen (+1).

AD 3 IRRITATIES VANWEGE VANZELFSPREKENDHEDEN

De irritaties, die ontstaan doordat woorden, zoals het begrip afspraak in casus 1, niet alleen anders worden beleefd en ingevuld, maar ook gewaardeerd, kunnen worden weggenomen door het brugmodel toe te passen. Vaak ontstaan deze irritaties door vanzelfsprekendheden en vooringenomenheid. Een volgende casus ter illustratie.

Casus 2 Afspraak is afspraak, toch?

Claudia, die bij de jeugdreclassering werkt, begeleidt Belgin, een Turks meisje van zestien jaar, om weer naar school te gaan. Belgin spijbelt namelijk al een paar maanden zonder dat haar ouders, die het Nederlands gebrekkig beheersen, het doorhebben. Voordat Belgin bij de jeugdreclassering komt, hebben andere instanties al hun best gedaan om met de ouders in contact te komen. Zo heeft eerst de school geprobeerd een afspraak te maken met de ouders. Toen zij niet verschenen heeft de school de leerplichtambtenaar ingeschakeld. Ook hij is er niet in geslaagd Belgin naar school te bewegen. Nu is het aan Claudia om haar weer op school te krijgen. Claudia wil Belgin graag in het bijzijn van haar ouders spreken. Dus maakt ze een afspraak op kantoor, maar niemand verschijnt op de afgesproken tijd. Als dat de tweede keer gebeurt, maakt Claudia een afspraak voor een huisbezoek. Ook dat mislukt, want ze komt voor een dichte deur. Claudia, die inmiddels chagrijnig wordt omdat ze vindt dat de afspraken niet serieus worden genomen belt de moeder op. De moeder neemt op. Claudia legt uit dat ze, volgens haar agenda, een afspraak had gemaakt met haar dochter. De moeder blijkt niet op de hoogte te zijn van deze afspraak. Claudia maakt met haar moeder een nieuwe afspraak op kantoor. Uiteindelijk komt het tot het volgende gesprek:

Claudia: *Waarom heb je je moeder niets verteld over onze afspraak?*
Belgin: *Mijn moeder moest naar oma... dat was misschien heel*
belangrijk... mijn oma had gebeld... ik moest mee... weet u wel? (terwijl
Belgin dit zegt kijkt ze Claudia niet aan)
Claudia: *Het valt me op dat je moeder het Nederlands zeer gebrekkig*
beheerst, terwijl ze al zo lang in Nederland woont. Is dat soms de reden
waarom veel afspraken niet worden nagekomen?
Belgin: (laat haar irritatie blijken door stemverheffing) *Mijn moeder is*
niet dom. Zij heeft niet op een school gezeten, daarom spreekt ze niet
goed Nederlands.
Claudia: *Misschien is het verstandig dat je moeder toch weer naar school*
gaat?
Belgin: *Ik wil niet meer met u praten. Mijn moeder kan gewoon geen*
Nederlands en daar kan ze niets aan doen. U zegt dat mijn moeder dom
is. Ik praat niet meer met u.

Dit voorbeeld is exemplarisch voor de irritaties die vaak ontstaan
tussen de hulpverlener die weinig oog heeft voor de gevoelig-
heden onder allochtonen en hun achtergrond en de cliënt van
allochtone afkomst die goede bedoelingen van de hulpverlener
verkeerd interpreteert of als te bemoeizuchtig beschouwt. Het gesprek tussen Belgin en Claudia mislukt totaal. De kans dat Claudia een vertrouwensband met Belgin kan opbouwen is minimaal.

Hoe zou Claudia het brugmodel hier kunnen inzetten om het gesprek te laten slagen? Claudia zou zich als eerste een beeld moeten vormen over de omgevingsfactoren van Belgin. Claudia heeft
daar al een begin mee gemaakt. Zo komt ze erachter dat haar ouders het Nederlands gebrekkig beheersen. Nu zou er een bel kunnen gaan rinkelen bij Claudia. Als namelijk de school telkens via
een brief heeft geprobeerd een afspraak te maken met haar ouders, weet ze nu waarom dat nooit gelukt is. Belgins ouders hebben de brief nooit kunnen lezen. Belgin heeft hem nooit willen
vertalen, omdat dat niet in haar belang is. Als ze verder gaat graven komt ze waarschijnlijk nog meer te weten. Het eerste stadium
heeft Claudia nauwelijks afgerond of ze leest (in elk geval in de
ogen van Belgin) de moeder van Belgin de les. Bovendien klinkt
haar startvraag verwijtend. Een alternatief voor het gesprek zou
als volgt kunnen lopen.

Claudia: *Ik ben blij dat we nu een afspraak met elkaar hebben. Het was niet makkelijk om een afspraak te maken, maar goed. Het is nu gelukt. Mag ik vragen waarom de laatste afspraak niet doorging?*
Belgin: *Ja, mijn oma had gebeld of we bij haar langs wilden komen.*
Claudia: *Er was toch niet iets ergs aan de hand met haar of wel?*
Belgin: *Nee, maar ze voelde zich zo eenzaam. Wij vonden haar zo zielig. Vandaar dat we haar gingen bezoeken.*
Claudia: *Hoe gaat het nu met haar?*
Belgin: *Ja, ze voelt zich nu beter. We bellen haar elke dag.*
Claudia: *Oh, dat vindt ze fijn, denk ik. Kunnen we dat ook voortaan afspreken? Dat we elkaar ook bellen als de afspraak niet kan doorgaan? Ik vind dat namelijk ook fijn. Dan hoef ik me ook geen zorgen te maken waarom de afspraak toch niet doorgaat.*

Claudia vraagt door en toont belangstelling voor de omgeving van Belgin. Hierdoor ontspant Belgin en kan zij vrijuit vertellen. Op het moment dat Belgin vertelt dat ze haar oma elke dag belt, haakt Claudia daar onmiddellijk op in. Claudia bevindt zich nu in stadium 2. Doordat Belgin zich bij Claudia op haar gemak voelt, kan ze haar fouten beter toegeven dan wanneer ze zich aangevallen voelt. Belgin zou als volgt kunnen reageren.

Belgin: *Ja, sorry van de vorige keer. Ik zat toen helemaal met mijn gedachten bij oma. Maar vanaf nu ga ik bellen.*
Claudia: *Afgesproken! Zeg Belgin, toen ik jouw moeder aan de lijn had viel het mij op dat zij moeite had met het Nederlands. Heeft zij wel eens cursus Nederlands gevolgd?*
Belgin: *Nou, dat wil ze wel graag, maar dat mag niet van mijn vader.*
Claudia: *Waarom niet?*
Belgin: *Mijn vader is best wel streng. Hij vindt dat vrouwen thuis moeten blijven.*
Claudia: *Moet jij ook van hem thuisblijven?*
Belgin: *Nee, ik mag van hem wel naar school gaan.*
Claudia: *Maar je doet het al een tijd niet, hè?*
Belgin: *Ja, ik wil mijn moeder niet alleen laten.*
Claudia: *Dat is heel lief van je, maar ik snap het verhaal niet helemaal. Jouw moeder wil graag naar school, maar mag het niet van jouw vader. Jij mag van je vader wel naar school, maar jij doet het niet. Ik kan me voorstellen dat je moeder graag met jou zou willen ruilen. Klopt dat?*

Met deze vraag prikkelt Claudia niet alleen Belgin om stil te staan bij wat ze doet, maar neemt zij ook een duidelijke positie in. Claudia bevindt zich door deze vraag in stadium 3. Zij maakt aan Belgin duidelijk dat studie haar niet alleen kansen biedt, maar dat het ook een voorrecht is. Zij vergelijkt haar situatie met die van haar moeder. Door een andere kijk op de rol van de vrouw mag haar moeder niet studeren. In de volgende casus kijken we welke invloed dat kan hebben op de interculturele gespreksvoering.

AD 4 IRRITATIES VANWEGE VERSCHIL IN TAALGEBRUIK EN DE ROL VAN MAN/VROUW

Verschil in taalgebruik en in de kijk op de rol van de vrouw en man in passieve en actieve culturen veroorzaken behalve irritaties vaak ook stress en ongemak in de hulpverlening. In de passieve cultuur is men niet gewend aan een mondige burger, laat staan aan een mondige vrouw. In de praktijk voelt een vrouw uit een actieve cultuur zich gekwetst door de manier waarop een man uit een passieve cultuur haar tegemoet treedt. Omgekeerd is een vrouw uit een passieve cultuur niet gewend om alles te vertellen aan een man die haar ondervraagt. In de volgende casussen zal ik dit illustreren.

Casus 3 Waarom kijk je me niet aan?

Marieke werkt al twaalf jaar als groepsleidster in een gesloten justitiële jeugdinrichting voor jongens van twaalf tot achttien jaar. De populatie bestaat voor driekwart uit allochtone jongeren, waarvan de grootste groep van Marokkaanse afkomst is. Als mentor van een groep houdt Marieke een intakegesprek met Ridwan. Tijdens het gesprek legt Marieke hem uit aan welke afspraken hij zich moet houden en hoe ze met elkaar omgaan. Uit de reactie van Ridwan (hij knikt regelmatig 'ja') maakt Marieke op dat hij het daarmee eens is. Het valt haar op dat Ridwan haar gedurende het gesprek niet aankijkt.

Marieke: *Ik zie dat je me niet aankijkt als ik met je praat. Mag ik weten waarom je dat eigenlijk doet?*
Ridwan: *Mmh..., ik weet niet.*
Marieke: *Je weet het niet?*
Ridwan: *Ja. Zo ben ik opgevoed. Ik doe gewoon wat vader doet.*
Marieke: *Maar heb je je nooit afgevraagd waarom je vader zo doet?*
Ridwan: *Nee. Ik wil het niet weten ook. Dat is mijn opvoeding. Klaar.*

Marieke wil het gesprek niet op de spits drijven, vraagt dus niet door en beëindigt snel het gesprek. Dat is wel jammer, want daardoor blijft ze steken in het eerste stadium van het brugmodel: proberen te achterhalen wat de oorzaak is van zijn gedrag.

Een paar dagen na het intakegesprek raakt Marieke ook nog eens geïrriteerd door Ridwans dwingende manier van vragen stellen. Marieke zegt hier zelf over: 'De vragen van Ridwan zijn erg kort geformuleerd en komen bij mij zeer dwingend over.' Dit vindt zij onbeschoft, want zo is zij niet opgevoed. Telkens wanneer hij op zijn vraag een 'nee' van haar krijgt, begint hij haar uit te schelden. Door dit gedrag belandt Ridwan vaak in zijn kamer. Marieke vindt dat zij respectloos wordt behandeld. Ondanks dat doet Marieke verwoede pogingen om het gedrag van Ridwan te begrijpen. Marieke vraagt zich af of Ridwan, vanwege zijn culturele achtergrond, haar als vrouw in functie wel accepteert. Om te achterhalen of haar vermoeden klopt stelt ze de volgende (confronterende) vraag aan Ridwan:

Marieke: *Kijk je me soms niet aan omdat ik een vrouw ben?*
Ridwan: *Nee, hoezo?*
Marieke: *Ik merk dat je niet luistert naar wat ik je vraag te doen. Vooral niet wanneer andere groepsgenoten erbij zitten. Hoe verklaar je dit gedrag?*
Ridwan: *Waarom moet ik naar jou luisteren?*
Marieke: *Omdat ik jouw groepsleidster ben. Jij moet de opdrachten die ik je geef gewoon uitvoeren.*
Ridwan: *Een man luistert niet naar een vrouw. Begrijp je?*
Marieke: *Van wie heb je dat geleerd?*
Ridwan: *Van mijn vader. En dat is goed zo.*
Marieke: *Die regel van jouw vader slaat nergens op en is hier niet geldig. Wen daar maar aan. Ikzelf ben anders opgevoed. Vrouwen en mannen zijn, ongeacht hun leeftijd, gelijkwaardig aan elkaar.*
Ridwan: *Dat vind jij. Ik niet. Daar kun je niets aan veranderen. Laat me toch met rust!*
Marieke: *Nee, dat doe ik niet. Zolang ik je groepsleider ben, wil ik met je kunnen praten over dingen die niet goed gaan of me dwars zitten.*
Ridwan: *Waarom steek je zoveel energie in mij? Dat ben ik niet waard. Ik doe het toch nooit goed.*

Uit de reactie van Ridwan blijkt nu dat Marieke er nu wel in is geslaagd om via stadium 2 (verwachtingen uitspreken) en stadium 3 (bereidheid en de wil van Marieke om te praten over mogelijke knelpunten) Ridwan te bereiken. Nu is het een kwestie van wie het grootste uithoudingsvermogen heeft. Als Marieke de daad bij het woord blijft voegen zal Ridwan vroeg of laat respect krijgen voor Marieke. Uiteindelijk verandert Ridwan alleen als hij op termijn genoeg afstand neemt van zijn strakke opvoeding. Deze opvoeding is debet aan zijn zwart-witdenkbeelden over onder andere de verhouding tussen man en vrouw en het klakkeloos overnemen van tradities.

Marieke heeft de primaire taak om hem weer verwondering bij te brengen die hij als kind al had, zodat hij meer reflecteert op zijn gedrag. Daarvoor is het noodzakelijk dat Marieke in haar rol van mentor een vertrouwensband met Ridwan ontwikkelt. Dat zal in de praktijk niet meevallen. Zij beschikt door haar machtspositie als groepsleidster zowel over de sleutel tot betere communicatie als over de sleutel van zijn kamer. Zij kan hem belonen door hem positieve feedback te geven of straffen door hem te laten opsluiten als hij vervelend doet. Uiteraard is vervelend een rekbaar begrip. Omdat de machtspositie van Marieke en de culturele achtergrond van Ridwan toch van invloed zijn op de communicatie tussen hen, neem ik een andere casus als tegenvoorbeeld. De vraag is dan of de situatie anders zou zijn als de medewerker zelf van Marokkaanse afkomst is?

Casus 4 Stil, ik wil eten!

Abdel werkt sinds twee maanden als medewerker bij de justitiële behandelinrichting voor de zeer moeilijk opvoedbare jongeren tussen twaalf en achttien jaar. Zijn beheersing van het Nederlands is niet optimaal, maar hij kan zich voldoende uiten. De leiding van een groep, Abdel en Petra, is gewend om samen met de jongeren het avondeten te nuttigen. Abdel stoort zich aan de drukte van de jongeren tijdens het avondeten en laat dat ook blijken. Hij trekt een chagrijnig gezicht en vraagt op een boze toon of ze tijdens het avondeten stil willen zijn. Als de jongeren in discussie willen gaan met Abdel kapt hij ze onmiddellijk af met de opmerking: 'Niet kletsen. Eten!' De jongeren pikken dit niet en geven tegengas. Abdel wordt nog bozer en zegt dat zij geen enkel respect voor hem hebben. Als de situatie bijna escaleert grijpt Petra in. Abdel vat haar be-

moeienis op als gezichtsverlies. Hij merkt op dat hij de jongeren zelf wel aankan. Daarop raken zij op drift. Om erger te voorkomen probeert Petra aan de jongeren uit te leggen wat Abdel bedoelt. Zo worden de jongeren enigszins gesust, maar de communicatie van Abdel met de mondige jongeren is verder weg dan ooit.

Het bovenstaande voorval bevat drie factoren waardoor de interculturele gespreksvoering volledig mislukt. Ten eerste is Abdel, vanwege zijn culturele achtergrond, niet gewend dat jongeren met de ouderen in discussie gaan, laat staan hen tegenspreken. Ten tweede heeft hij er moeite mee dat een vrouwelijke collega zich bemoeit met zijn zaak. Dat is een aantasting van zijn mannelijkheid, vanwege zijn machoachtergrond. Ten derde praat hij Nederlands op zijn Marokkaans. Dat wil zeggen dat hij met de gebiedende wijs praat (Stil!). Dat komt rauw over op de jongeren en zijn collega Petra die geleerd hebben om minimaal met twee woorden te praten (Mag ik alstublieft...). In dit geval heeft Abdel de primaire taak om volgens het brugmodel te werken. Hij moet zich eerst goed (laten) informeren over de Nederlandse waarden en omgangsvormen, daarna uitleggen waarin hij gelooft en wat zijn verwachtingen zijn. Pas na deze twee stadia kan hij een weloverwegen besluit nemen hoe hij het beste kan omgaan met de jongeren. Dit voorbeeld geeft aan dat het niet altijd waar is dat een allochtone medewerker beter kan omgaan met allochtone jongeren, omdat hij dezelfde culturele achtergrond deelt. Wat dat betreft zijn allochtone jongeren, zeker die in Nederland opgegroeid zijn, even mondig als de autochtone jongeren.

Casus 5 Heb ik iets verkeerds gezegd?

Aan de balie van de sociale dienst in Rotterdam verschijnt een oudere Surinaamse vrouw, Gerda. Zij vraagt aan een jonge, mannelijke baliemedewerker, Ton, om een afspraak te regelen met een mannelijke collega. Op de vraag van Ton waarvoor zij een afspraak wil, om haar gerichte hulp te kunnen geven, geeft ze geen antwoord. Als Ton vervolgens vraagt waarom zij per se met een man wil afspreken trekt Gerda een vies gezicht en zegt:

Gerda: *Vrouwen luisteren nooit naar mij. Het zijn allemaal zeikerds.*
Ton: *Kennelijk hebt u negatieve ervaringen met vrouwen. Mag ik misschien vragen hoe dat komt?*

Gerda: *Dat gaat u niets aan. Regel nu maar een afspraak met een man voor mij en houd toch op met zeiken!*

Ton: *Ik ben niet gediend van uw commanderende toon. Als u zo tegen mij blijft praten, mag u straks het pand verlaten en thuis rustig wachten op een uitnodiging voor een afspraak.*

Na dit antwoord ontploft de Surinaamse vrouw. Terwijl ze haar eis herhaalt begint ze steeds harder te praten en maakt wilde armbewegingen. Daarop begint Ton ook harder te praten en stelt zijn vragen op dezelfde irritante toon als Gerda. Ondertussen denkt hij: 'Zoek het maar lekker uit met je afspraak. Je komt onder op de stapel'.

In de bovenstaande casus hebben verschillende factoren invloed op het vergroten van de miscommunicatie. Ze zijn alle terug te voeren op twee oorzaken.

1   De verwachtingen die Ton en Gerda van elkaar hebben, corresponderen niet met elkaar. (waarden, zoals respect en gelijkheid man en vrouw)
2   De Surinaamse en Nederlandse manier van 'iets verzoeken' botsen met elkaar.

AD 1 VERWACHTINGEN

Gerda, die in haar cultuur vanwege haar leeftijd gewend is om van jongeren automatisch respect te krijgen, krijgt van Ton geen respect. In haar ogen is hij een brutale vlerk wanneer hij doorvraagt. Ton, die opgegroeid is in een cultuur waar ouderen niet automatische respect krijgen, vindt dat Gerda respectloos met hem omgaat. In de ogen van Ton neemt Gerda hem niet serieus, omdat zij niet ingaat op zijn vragen.

Ton begrijpt niet waarom Gerda zo denigrerend doet over zijn vrouwelijke collega's. Gerda begrijpt niet waarom Ton denkt dat zij vrouwen discrimineert, want tenslotte is zij ook een vrouw.

AD 2 MANIER VAN VRAGEN

De Surinaamse 'normale' manier van vragen (directief) komt bij Ton zeer commanderend over. Ton is daaraan niet gewend.

Hoe kunnen we hier het brugmodel zo inzetten dat het gesprek wel slaagt? Laten we eens het gesprek oppakken wanneer Gerda negatief oordeelt over vrouwen ('Vrouwen luisteren niet naar mij. Het zijn allemaal zeikerds.')

Ton: *Ik wil u met alle plezier helpen aan een man. Ik respecteer uw verzoek, maar waarom hebt u liever een man dan een vrouw?*
Gerda: *Ik kan mijn verhaal beter vertellen aan een man dan aan een vrouw.*
Ton: *Aha, maar wij maken hier geen enkel verschil tussen mannen en vrouwen. Niemand kan daarom eisen om met een vrouw of man te spreken. Als u echter een klacht hebt over één van onze vrouwelijke collega's dan willen we het graag horen, zodat we er eventueel iets aan kunnen doen.*
Gerda: *Ik heb geen klacht. Ik wil gewoon een man spreken.*
Ton: *Ik wil voor deze keer een uitzondering maken, maar zullen we afspreken dat dit de laatste keer is?*
Gerda: *Afgesproken.*
Ton: *Ik maak hier een notitie van.*
Gerda: *Ja, dat is prima. Doe maar.*

Met het brugmodel kiest Ton voor een andere benadering. Hij schort zijn oordeel over haar imperatieve wijze van communiceren op en zoekt niet onmiddellijk de confrontatie op met Gerda. Hij probeert via de weg van de dialoog, waar wederzijdse erkenning en waardering centraal staan, Gerda's vertrouwen te winnen. Dat lukt aardig, want zowel Gerda als Ton krijgen respectievelijk op korte en lange termijn hun zin en ook respect voor elkaar. Gerda krijgt nu een man te spreken, maar de volgende keer krijgt ze gewoon iemand (man of vrouw) toegewezen.

Casus 6 Kunt u dat even kort samenvatten?
De volgende casus betreft een gesprek tussen een contactambtenaar, Johan van Balen bij het ministerie van Justitie, Immigratie- en Naturalisatiedienst (IND), en een Afghaanse asielzoekster S. Abdullah. Het valt de heer Van Balen op dat mevrouw Abdullah niet naar hem kijkt. Tijdens het gesprek is haar blik voortdurend op de grond gericht en ze spreekt met zachte toon. Het gesprek verloopt via een tolk.

J. van Balen: *Mevrouw Abdullah, u zegt dat u uit Afghanistan bent gevlucht vanwege uw politieke activiteiten. Kunt u een korte samenvatting geven van uw situatie daar?*

S. Abdullah: *Ik ben geboren in een dorpje vlakbij Kabul. Ik kom uit een familie van vier broers en drie zussen. Ik ben de oudste dochter van de familie. Ik heb...*

J. van Balen: *Mevrouw, Ik wil u even onderbreken in uw verhaal. Wat ik graag wil is dat u kort uw problemen beschrijft. Kunt u mij namen noemen van personen met wie u heeft samengewerkt?*

S. Abdullah: *Ik kan dit niet vertellen, want daarmee breng ik anderen in gevaar.*

J. van Balen: *Ik wil u toch verzoeken mij alle relevante details te vertellen. Zo niet, dan kan dat consequenties hebben voor uw asielaanvraag.*

S. Abdullah: *Ik kan geen namen noemen, want dat brengt ze in gevaar.*

J. van Balen: *Dan ben ik helaas gedwongen om dit gebrek aan medewerking in mijn rapport te vermelden.*

In deze casus hebben niet alleen culturele factoren, zoals geen oogcontact maken en op zachte toon praten, invloed op het moeizame gesprek, maar ook andere factoren, zoals tijdsdruk van de ambtenaar, machtsverschil tussen ambtenaar en asielzoeker, ruimte (kantoor) en aanwezigheid van een extra man, de tolk. De aanwezigheid van de tolk heeft zeker invloed op het gesprek. De communicatie tussen asielzoekster en ambtenaar vindt niet direct plaats, maar loopt via de tolk. Het gevolg hiervan is dat de ambtenaar extra let op de non-verbale communicatie van mevrouw Abdullah. Dit alles kan leiden tot een negatieve beoordeling van de asielaanvraag van mevrouw Abdullah.

Naast deze factoren dragen onbekendheid van elkaars culturen, verwachtingen en vanzelfsprekendheden niet echt bij tot betere communicatie. Dit heeft als gevolg dat bij zowel de heer Van Balen als mevrouw Abdullah de negatieve gedachten heersen en ze te snel de verkeerde conclusies trekken die weer leiden tot negatieve beeldvorming.

De gedachten van de heer J. van Balen over mevrouw S. Abdullah: *'Ik had op dat moment het gevoel dat ze aan het liegen was. Dat ze op directe detailvragen van mijn kant geen antwoord had. Dat ze loog werd voor mij op dat moment versterkt doordat zij mij niet aankeek. Daarnaast had ze een lange tijd nodig om haar antwoorden op zachte toon te formuleren. Haar verhaal leek daardoor wel verzonnen. Samenvatten lukte haar ook niet. Ze wilde het verhaal vertellen zoals dat in haar hoofd zat. Daar kon ze niet van afwijken. Alsof ze het verhaal uit haar hoofd had geleerd.'*

De gedachten van mevrouw S. Abdullah over de heer J. van Balen: *'Ik had het gevoel dat hij me onder druk zette. Waarom mocht ik mijn verhaal niet vertellen zoals ik dat wilde? Hij was helemaal niet geïnteresseerd in mijn verhaal, want hij liet me niet rustig uitpraten. Wat hij wilde was dat ik de namen gaf van mijn politieke vrienden. Ik ben geen verrader. Ik vertrouwde hem niet. Bovendien kon ik die tolk ook niet vertrouwen. Wie kon mij garanderen dat hij mijn informatie niet zou doorspelen aan de Afghaanse geheime dienst?'*

Op wat voor manier kan het brugmodel ervoor zorgen dat de communicatie tussen deze twee mensen beter verloopt? Ten eerste zal de heer Van Balen zich volgens het eerste stadium moeten inspannen om achter de waarden en belangen van de Afghaanse vrouw te komen. Dat doet hij door zich, het liefst voor of aan het begin van het gesprek, onder meer te laten informeren over de specifieke kenmerken van de Afghaanse cultuur. Zo komt hij er al snel achter dat het niet kijken van de vrouw niets te maken heeft met dat ze iets te verbergen heeft, maar dat het uit respect of schaamte gebeurt. Tijdens het gesprek zal de heer Van Balen eerst moeite moeten doen om haar op haar gemak te stellen. Hij kan eerst algemene vragen stellen, zoals hoe het met haar gaat. Daarna kan hij uitleg geven over de procedure en het doel van het verhoor. Vervolgens moet hij duidelijk maken wat hij van haar verwacht en wat zij van hem kan verwachten. Deze verwachtingen kan hij als volgt formuleren.

J. van Balen: Ik begrijp dat het voor u moeilijk is om uw verhaal samen te vatten. Ik wil u daarom zo meteen enkele vragen stellen die misschien voor u zeer confronterend kunnen zijn. Toch zou ik daarop graag een antwoord willen krijgen. De antwoorden verwerk ik in mijn rapport. Dat rapport wordt gebruikt om uw asielaanvraag te behandelen. Als u niet meewerkt, kan dat een negatieve invloed hebben op uw aanvraag. Het is in uw belang om mijn vragen te beantwoorden. Ik kan u verzekeren dat uw informatie strikt vertrouwelijk wordt behandeld. De tolk die wij hebben aangesteld is gescreend door onze organisatie en heeft een geheimhoudingsplicht.

Natuurlijk zal mevrouw Abdullah, na deze toelichting, niet meteen het achterste van haar tong laten zien, maar de verwachtingen zijn door de contactambtenaar uitgesproken. Mevrouw Abdullah weet waar ze aan toe is. Nu kan zij zelf besluiten welke waarden en/of belangen zwaarder wegen. Ze zal nu een afweging moeten maken tussen de waarde (ten koste van alles altijd trouw blijven aan de eed om haar politieke vrienden nooit te verraden) of haar belang om politiek asiel te krijgen (medewerking aan het verhoor om haar asielaanvraag positief te beïnvloeden is dan noodzakelijk).

6.4 Conclusies

Wat kunnen we concluderen uit de voorgaande casussen? Ten eerste dat een systematische manier van gesprekken analyseren volgens het brugmodel ons waardevolle inzichten geeft in het verloop van de cultuurbepaalde communicatie. Als je eerst kennis vergaart over de ander (stap 1), daarna je verwachtingen uitspreekt, je normen uitlegt aan de ander en bewust wordt van je vanzelfsprekendheden (stap 2) en (nieuwe) inzichten ten slotte vertaalt in concreet gedrag (stap 3), dan leidt dit alles tot een betere afweging van je waarden en belangen en dus tot succes in de cultuurbepaalde communicatie. Door gebruik te maken van het brugmodel worden alle mogelijke valkuilen bij voorbaat vermeden. Daardoor houd je de kans op miscommunicatie minimaal.

7 Reflectie

In dit hoofdstuk sta ik stil bij mijn visie op de studie van cultuurbepaalde communicatie. Dat doe ik door het gebruik van de casuïstiek als middel om het verloop van interculturele gespreksvoering in beeld te krijgen hier te verantwoorden. Om dit goed te kunnen doen wil ik eerst teruggrijpen naar de boodschap van mijn boek. Daarin heb ik gesteld dat oosterse culturen de filosofie van Plato hebben gevolgd en de westerse culturen de filosofie van Aristoteles. Het verschil tussen deze filosofen ligt in hun kijk naar de werkelijkheid en daarmee samenhangend hun waardering van mythos en logos in hun wetenschappelijke werk en dagelijks leven. In veel westerse culturen, waar de logica heerst, is een mythe vaak synoniem aan een leugen of aan bedrog, omdat het bestaan ervan niet kan worden bewezen. In oosterse culturen verwijst een mythe juist naar een hogere waarheid of wijsheid. Volgens Plato kunnen we pas echte kennis opdoen als we ons weten te bevrijden van onze ketenen en de grot verlaten waarin we als mens gevangen zitten. Omdat ik zelf het geluk heb gehad om in zowel de oosterse culturen, namelijk de Marokkaanse en Indonesische, als de westerse (lees de Nederlandse) cultuur opgevoed te worden, heb ik een natuurlijke synthese kunnen maken van de denkwijzen van deze twee grote Griekse wijsgeren. Waaruit deze synthese bestaat zal ik hierna verder toelichten.

Aan de ene kant ben ik sterk geïnspireerd door het mooie myhtische grotverhaal van Plato met als kernboodschap: wat we zien is niet echt. Volgens hem zien we slechts een kopie van de werkelijkheid en is de echte werkelijkheid verborgen voor onze ogen. De schaduwen in de grot worden veroorzaakt door attributen die buiten ons bereik liggen. De schaduwen bepalen voor mij de aardse vorm, de attributen, de ideeën of de inhoud. Dus wat we zien is niet de oorzaak (= inhoud) zelf, maar het gevolg (= vorm) dat zichtbaar wordt. Je zou het kunnen vergelijken met water dat voor het blote oog geen tastbare vorm heeft, maar als inhoud in verschillende vormen past, zoals in een vorm van een kronkelende rivier, ronde vijver, sierlijk glas of een grote emmer. Of je iemand te drinken geeft uit een glas of een kruik is cultuurbepaald.

De gevolgen van miscommunicatie tussen twee mensen van verschillende culturen laten zich makkelijk raden. Als mogelijk
slachtoffer van miscommunicatie zien, voelen en ervaren we altijd direct wat de gevolgen zijn. Mensen worden boos, irritaties
worden verhoogd, mensen gaan huilen, beginnen te schelden of
klappen dicht, zeggen niets, voelen zich gekwetst, zijn woest of
verdrietig, lopen weg, enzovoorts. De oorzaak van miscommunicatie is echter niet altijd duidelijk. Het grotverhaal van Plato heeft
mij geleerd om me niet puur te laten afleiden door de vorm waarin een boodschap wordt verpakt, maar altijd op zoek te gaan naar
de echte inhoud. Dat betekent in de praktijk dat uiterlijke schijn
of vertoon in de communicatie nooit ten koste mag gaan van de
werkelijke inhoud. Dat vereist een oprechte en belangstellende
houding.

Aan de andere kant ben ik ook erg beïnvloed door de boodschap
van Aristoteles. Alleen met beide benen op de grond kun je volgens hem echte kennis over onze wereld, ongeacht of die wel of
geen kopie is van de werkelijkheid, vergaren. Dus heb ik uit meer
dan honderd bestudeerde casussen uit het hulpverleningsveld de
meest aansprekende casussen geselecteerd om zo af te dalen naar
de praktijk. Ze zijn gekozen aan de hand van drie criteria:

▷ *Frequentie*: de casus die qua communicatieprobleem minimaal twee keer of vaker in verschillende situaties voorkwam
   werd opgenomen.
▷ *Herkenning*: het communicatieprobleem van de casus moet
   door de meeste hulpverleners die met cliënten uit andere
   (oosterse) culturen werken als zodanig herkend worden.
▷ *Cultuurbepaaldheid*: het communicatieprobleem moet betrekking hebben op cultuurverschillen.

De casussen zijn, in deze zin, de vorm die ik heb gekozen om de
inhoud van mijn boodschap te verduidelijken. Daarom heb ik ervoor gekozen om mijn theoretische concept, het brugmodel, te
toetsen in de praktijk in de vorm van casussen. Alleen op deze
manier kom je erachter of het model werkt.

Uit de casussen in het vorige hoofdstuk blijkt telkens weer dat de
grootste culturele misverstanden tussen de gesprekspartners niet
zozeer liggen op het aanhangen van verschillende waarden, maar

in de interpretatie of invulling daarvan en het belang dat men daaraan hecht in de praktijk. Zo worden de abstracte waarden meestal vertaald in normen, hoe we concreet met elkaar moeten omgaan. De meeste waarden worden wereldwijd aangehangen, zoals succes hebben in je leven, respect tonen voor je medemens, gastvrijheid betonen aan je gasten, liefdadigheid, loyaliteit hebben voor de groep die jou (op)voedt, hulp bieden aan mensen in nood, solidariteit betuigen met de zwakkeren, rechtvaardigheid als uitgangspunt nemen voor je handelen, enzovoorts. Er is geen individu in de wereld die deze waarden niet zou rekenen tot een zeer belangrijk onderdeel van zijn moraal. Pas als deze waarden concreet vertaald worden in gedrag zien we een verschil tussen mensen die zijn opgegroeid in een passieve of actieve cultuur.

Passieve en actieve culturen moet men zien op een glijdende schaal. Hoe actief of passief een samenleving is, is afhankelijk van op welke manieren culturele kernwaarden invloed (kunnen) hebben op ons gedrag en het belang dat men hecht aan vorm en inhoud van een boodschap. Ook de omgevingsfactoren spelen mee zoals het economische en politieke klimaat van een groep of natie, de (machts)verhoudingen tussen man of vrouw, groepen of naties, de vrije toegang tot onderwijs, vrijheid van meningsuiting, hoe men hecht aan respect voor tradities en de geografische ligging. Mensen die uit een actieve cultuur komen, stellen hun actieve houding altijd als norm in hun handelen met de medemens en mensen uit een passieve cultuur hun passieve houding. Wat betekent dat concreet in de praktijk?

Dat betekent dat wanneer het gaat om respect tonen een doorsnee Nederlander (laten we hem Piet noemen) met een zeer actieve houding vindt dat tegen iedere gesprekspartner direct zeggen wat je denkt en waar het op staat zonder eromheen te praten pas getuigt van respect. Alleen met deze directe opstelling kan Piet de ander serieus nemen en kan er eventueel een vertrouwensband ontstaan en heel misschien, op termijn, ook nog een heuse vriendschap uit voortkomen. Als in dit voorbeeld de gesprekspartner een Indonesiër (laten we hem hier Aha noemen) is, die in een passieve cultuur is opgegroeid, zal hij schrikken van de uitwerking van dit model van confrontatie. Aha zal deze directe communicatie als zeer bot, hard en onaangenaam ervaren. Als hij dit vaker meemaakt, zal Aha kunnen concluderen dat het eigen is aan de Nederlandse cultuur om mensen voortdurend te kwetsen.

Een Indonesiër met een zeer passieve houding, zoals Aha in dit voorbeeld, zal vinden dat er pas sprake kan zijn van respect tonen als je je op zijn minst terughoudend opstelt in het gesprek met de ander en je altijd diplomatiek uit wat je denkt en zegt en zacht bent tegen de ander. Dit, om de harmonie tussen de gesprekspartners te allen tijde te bewaren. Je zoekt naar een geschikte vorm als je duidelijk wilt maken wat je echt denkt en voelt. Middelen die vaak worden gebruikt zijn lichaamstaal, metaforen, humor, teksten met een dubbele boodschap, enzovoort.

Een Nederlander met een zeer actieve houding, zoals Piet, zal vinden dat Aha een masker ophoudt. Als Piet soortgelijke ervaringen meemaakt met meer Indonesiërs, zoals Aha, dan zou hij op den duur zelfs kunnen concluderen dat Indonesiërs allemaal hypocriet en laf zijn, omdat ze niet altijd direct vertellen wat ze denken. Nederlanders die op Piet lijken beschouwen de Indonesische cultuur als een cultuur van toedekken: als je zwijgt over bepaalde zaken, bestaan ze niet. Dat geldt vooral voor taboes op het gebied van seks. Alle culturen creëren echter hun eigen taboes. Zo is het in Nederland niet gepast aan een gesprekspartner te vragen hoeveel hij verdient, terwijl zo'n vraag in veel andere culturen, zoals in de Amerikaanse en Marokkaanse cultuur, juist als een start dient voor een goed gesprek. Wat culturen als gepast en ongepast of goed en slecht duiden, bepaalt natuurlijk nooit of iemand een slecht of goed mens wordt. Het beïnvloedt wel onze kijk op de ander en onze houding. Onze kijk en houding beïnvloeden op hun beurt onze ontwikkelingscapaciteiten. Van het ontwikkelen van onze immateriële zaken, zoals onze identiteit, tot materiële zaken, zoals onze economische welvaart.

Volgens het Human Development Report 2004 van de Verenigde Naties speelt cultuur nauwelijks een rol bij de economische ontwikkeling van een land. Het moge duidelijk zijn dat ik het met deze conclusie niet eens kan zijn, omdat de basiswaarden van culturen nog altijd de houding van de cultuurdragers beïnvloedt. Het maakt wel degelijk uit of je in een passieve cultuur opgroeit, waar het fatalistisch denken regelmatig (over)heerst en je daardoor noodgedwongen van dag tot dag leeft en weinig bijdraagt

aan vernieuwing of opgroeit in een actieve cultuur, waar je je ontwikkeling in eigen hand hebt, je werkt aan je toekomst en zo tot
nieuwe inzichten komt.

Het feit dat actieve en passieve culturen invloed kunnen hebben
op de houding van de leden ervan wil helemaal niet zeggen dat
ieder lid dat ook automatisch toelaat in zijn of haar gedrag. In
veel passieve culturen bestaan er ook individuen of groepen die
zeer actiegericht zijn en omgekeerd. Bovendien blijft ieder individu een uniek wezen. De kans dat een individu zich extreem actief
opstelt zou voor iemand die in een zeer passieve cultuur opgroeit
wel eens groter kunnen zijn dan wanneer hij of zij in een actieve
cultuur opgroeit. Een voorbeeld is de leider van de moslimextre-
mistische beweging Al-Qaeda, Osama bin Laden, die is opgegroeid in een zeer passieve cultuur, de Saudische. Hij heeft zelf gekozen eerst een heilige strijd te voeren tegen de ongelovige com-
munisten in Afghanistan, vervolgens in het Westen aanslagen te
(laten) plegen en daarna direct de waarheid te vertellen over hoe
hij denkt over, in zijn ogen, het slechte decadente Westen. Een
voorbeeld van iemand die in een zeer actieve cultuur zoals de
Amerikaanse opgroeide en op jonge leeftijd juist rust vindt in een
zeer passieve cultuur zoals de Afghaanse, is John Walker (Lindh).
Hij heeft zich in Jemen via bekering tot de strenge islam aange-
sloten bij de Taliban in Afghanistan. Eind 2001 is de twintigjarige
Walker opgepakt en aan de Amerikaanse justitie overgedragen.

Hoewel in dit boek de actieve en passieve culturen als tegenpolen
tegen elkaar zijn afgezet (om zo de verschillen te verduidelijken)
is er in de praktijk natuurlijk altijd ruimte voor wederzijdse beïnvloeding. Als we kijken naar de Nederlandse situatie, zien we dat
hier een actieve cultuur heerst. Door toedoen van niet-westerse
allochtonen in de politiek en de media wordt de Nederlandse cultuur op bepaalde punten passiever. Zo zijn de debatten over integratie en islam zeer vormgericht. Het gaat niet zozeer om de inhoud, maar om de vorm. Dus: *niet wat je zegt is belangrijk, maar
hoe je het zegt.* Daarbij is het belangrijker emoties op te wekken
dan het verstand te gebruiken.

Ten slotte nog iets over de meerwaarde over het brugmodel Waarden en Belangen. Het is uitdrukkelijk bedoeld als instrument om
de waarden en belangen van de gesprekspartners scherp in beeld

te krijgen om op basis daarvan als laatste stap weloverwogen besluiten te kunnen nemen. Deze besluiten zijn zoveel mogelijk in overeenstemming met de eigen waarden en belangen. Het brugmodel heeft hier als voordeel dat veel irritaties, negatieve beeldvorming en mogelijke misverstanden vroegtijdig worden (v)erkend en mogelijk kunnen worden voorkomen. Het brugmodel bespaart bovendien op termijn veel tijd en stelt gesprekspartners op hun gemak. Een bijkomend effect is dat het brugmodel vanzelfsprekend uitnodigt tot het slaan van nieuwe bruggen tussen mensen van verschillende culturen. De rol van bruggenbouwer is niet alleen een ideaal waarin ik geloof, hij ligt gelukkig ook in mijn karakter besloten. Mijn ideaal om mensen te begrijpen in wat ze denken, zeggen, bedoelen en doen en tegelijkertijd door empathie te achterhalen wat ze bezighoudt, motiveert, prikkelt, raakt en ontroert, probeer ik niet alleen in woorden te vangen, maar ook elke dag in daden om te zetten. Het warme contact met mijn families uit Marokko, Nederland en Indonesië, mijn dierbaren, vrienden, studenten en collega's houdt me wakker. Tot slot zou ik graag wensen dat mensen altijd zo met elkaar omgaan dat steeds weer het contact het doel en al het andere, inclusief dit boek, een nuttig middel daarbij is.

Literatuur

Anne Frank Stichting (1997). *Vooroordelen vertekenen.* Amsterdam: Anne Frank Stichting.

Asperen, Evelien van (2003). *Interculturele communicatie en ideologie.* Utrecht: Pharos.

Azghari, Youssef (1994). *Nederlandse ontleningen in het Marokkaans Arabisch,* doctoraal onderzoeksverslag, Universiteit van Nijmegen.

Azghari, Youssef (2001). Knelpunten in de communicatie. *Kleurrijk Tilburg, kadernota multiculturele samenleving,* p.12. Tilburg: Wijkzaken.

Barnes, Jonathan (1982). *Aristotle.* Oxford: Oxford University Press.

Bommel, Abdelwahid van en zeventien deskundigen uit hulpverlening, onderwijs, zorg en justitie (2003). *Wankele waarden. Levenskwesties van moslims belicht voor professionals.* Utrecht: Forum.

Bolt, Rodney (1995). *Dat zijn nou typisch Hollanders.* Gids voor xenofoben. Leiden: Krikke.

Booij, G.E., Kerstens, J.G. en Verkuyl, H. J (1980). *Lexicon van de taalwetenschap.* Utrecht/Antwerpen: Het Spectrum.

Bor, Jan, Petersma, Errit en Jelle Kingma (2002). *De verbeelding van het denken, Geïllustreerde geschiedenis van de westerse en oosterse filosofie.* Amsterdam/Antwerpen: Contact.

Bouwmans, Louis (1998). *The Syntax of codeswitching. Analysing Moroccan Arabic/Dutch conversation.* Tilburg: Tilburg University Press.

Bouwmans, L., Dibbits H. en Dorleijn, M. (2001). *Jongens uit de buurt.* Amsterdam: Stichting Beheer IISG.

Bruin, Klaas en Heijde, Hans van der (1998). *Intercultureel onderwijs in de praktijk.* Bussum: Coutinho.

Claes, Marie-Thérèse en Gerritsen, Marinel (2002). *Culturele waarden en communicatie in internationaal perspectief.* Bussum: Coutinho.

Cliteur, Paul (2002). *Moderne Papoea's, Dilemma's van een multiculturele samenleving.* Amsterdam: Uitgeverspers.

Dankers-van der Spek, Monique (2003). *Communicatie en teamwork in de lerende organisatie.* Soest: Nelissen.

Dik, S.C en Kooij J.G. (1972). Beginselen van de algemene taalwetenschap. Utrecht/Antwerpen: Het Spectrum.

Dumasy, E.A.H. (2002). *Kleurrijk onderwijs.* Amsterdam: SWP.

End-Meijling, Martha (1999). *Met nieuwe ogen. Werkboek voor de ontwikkeling van transculturele attitude.* Bussum; Couthinho.

Eppink, Andeas (1986). *Cultuurverschillen en communicatie.* Alphen aan den Rijn: Samsom.

Essadki, Ahmed (1997). *Strijdkreet van de aarde.* Riffijnse gedichten. Aalsmeer: Dabar-Luyten.

Essed, Philomena (1994). *Diversiteit. Vrouwen, kleur en cultuur.* Baarn: Ambo.

Fiske, John (1992). *Televison Culture.* London: TJ Press (Padstow).

Groen. Nico en Veen, Robbert (2002). *Filosofie van A tot Z.* Utrecht: Het Spectrum.

Haleber, R. (1992). *Islam en humanisme.* Amsterdam: VU Uitgeverij,

Hanson, Mylèlen, Boogaard, Marianne en Vermeulen, Jeroen (2004). *Gesprekken in de multiculturele samenleving.* Bussum: Coutinho.

Hoek, Jannet van der en Kret, Martine (1992). *Marokkaanse tienermeisjes: gezinsinvloeden op keuzen en kansen.* Utrecht: van Arkel i.s.m. LIDESCO, Rijksuniversiteit Leiden.

161

Hoffman, Edwin (2002). *Interculturele gespreksvoering*. Houten/Diegem: Bohn Stafleu van Loghum.

Hofstede, G.H. (1991). *Allemaal andersdenkenden: omgaan met cultuurverschillen*. Amsterdam: Contact.

Ibn Battoeta (1353). *ar-Rihla: de Reis*. Gekozen, uit het Arabisch vertaald door Richard van Leeuwen . Amsterdam: Bulaaq.

Ibn Khaldun (1377). *Al-Muqaddimah* (De introductie). Het eerste sociologische werk.

Kessels, Jos; Boers, Erik en Mosert, Pieter (2002). *Vrije ruimte. Filosoferen in organisaties*. Amsterdam: Boom.

Kaldenbach, Hans (1998). *Cultuurverschillen op de werkplek*. Amsterdam: Prometheus.

Klooster, E.M., Hoek, A.J.E. van en Hoff, C.A. van 't (1999). *Allochtonen en strafbeleving*. Den Haag: Sdu.

Landmann, Salcia (1978). *Joodse humor*. Amsterdam: H.J.W.Becht.

Lang, G. en Molen, H. van der (2003). Psychologische gespreksvoering. Een basis voor hulpverlening. Soest: Nelissen.

Leemhuis, Fred (1982). De koran. *Een weergave van de Arabische tekst in het Nederlands*. Houten: Fibula/ Unieboek.

Meekeren, Erwin van, Limburg-Okken, Annechien en Ronald May (2002). *Culturen binnen psychiatrie-muren*. Amsterdam: Boom.

Mernissi, Fatima (2001). *De Europese harem*. Breda: De Geus.

Mernissi, Fatima. Al –Azm, Sadik; Soroush, Abdulkarim (2004). *Religie en moderniteit*. Breda: De Geus.

Morris, Tom (1999). *Philosophy for Dummies*. Foster City, Californië: Hungry Minds.

Nortier, Jacomine (1990). *Dutch-Moroccan Arabic Code Switching among Moroccans in the Netherlands*. Dordrecht: Floris.

Palmer, Donald (2001). *De grote vragen: inleiding in de westerse filosofie*. Utrecht: Het Spectrum.

Pels, Trees (1998). *Opvoeding in Marokkaanse gezinnen in Nederland. De creatie van een nieuw bestaan*. Assen: Van Gorcum.

Pinto, David (1994). *Interculturele communicatie*. Houten: Bohn Stafleu Van Loghum.

Pinto, David (1994). *Het virus cultuurverschillen*. Houten: Bohn Stafleu Van Loghum.

Said, Edward (1978). *Orientalism*. London: Penguin Books.

Shadid. W.A. (1998). *Grondslagen van interculturele communicatie*. Houten/Diegem: Bohn Stafleu Van Loghum.

Schippers, Arie en Versteegh, Kees (1987). *Het Arabisch: norm en realiteit*. Muiderberg: Coutinho.

Störig, Hans Joachim (1976). *Geschiedenis van de filosofie*. Utrecht/Antwerpen: Spectrum.

Struijs, Ales en Brinkman, Frans (1996). *Botsende waarden*. Utrecht: NIZW.

Ultee, Wout, Arts, Wil en Flap, Henk (1992). *Sociologie: vragen, uitspraken, bevindingen*. Groningen: Wolters-Noordhoff.

Withe, Colin en Boucke, Laurie (2000). *The UnDutchables*. USA: Withe Bouck Publishing.

Watzlawick, Paul, Janet H. Beavin en Don D. Jackson (1974). *De pragmatische aspecten van de menselijke communicatie*. Houten/Zaventem: Bohn Stafleu Van Loghum.

Werf, Siep van der (2002). *Allochtonen in de multiculturele samenleving: een inleiding*. Bussum: Coutinho.

Wessels, Anton (2002). *Islam verhalenderwijs*. Amsterdam: Nieuwezijds.

'Hoe nu verder? 42 visies op de toekomst van Nederland na de moord op Theo van Gogh'(2005) Utrecht: Het Spectrum.

Bijlagen

1   De hoofddoek van Juliana

Trouw, 30 maart 2004.

> *Columnist Youssef Azghari heeft een vaste plek op de Podiumpagina. Op deze historische dag staat zijn reguliere bijdrage op de voorpagina.*

Vandaag wordt prinses Juliana ter ruste gelegd. Zij maakte op mij als kind van zes jaar een onuitwisbare indruk. Zij was de allereerste Nederlandse vrouw met wie wij, mijn moeder en drie broers, kennismaakten toen we vanuit Marokko in 1977 op Schiphol landden. We zagen haar portret en voelden ons meteen welkom. Onze vader, die ons van de luchthaven oppikte, vertelde onderweg naar huis enthousiast over de koningin van dit nieuwe moederland.

Toen we haar later op Koninginnedag op de televisie zagen praten met gewone mensen op straat konden wij onze ogen en oren niet geloven. Ze maakte wel erg gemakkelijk contact met haar onderdanen. Zo'n innemende persoonlijkheid, die zomaar iedereen op straat groette, kon toch geen koninklijke hoogheid zijn, dacht ik.

Dat gedrag van het hoofd van een vorstenhuis waren we in Marokko niet gewend. Een vorst hoort immers op straat begeleid te worden door loeiende sirenes voor en achter de koninklijke stoet en een dik veiligheidskordon erom heen. Ik vergeleek haar toen met onze oude koning, de vader van de huidige koning Mohammed de zesde. Hassan II leek op mijn vader. Streng en behoudend. Koningin Juliana was precies het tegenovergestelde.

Mijn moeder mocht Juliana heel graag omdat, zoals ze dat zelf verwoordde: 'Toen zij als koningin aan het hoofd stond van de regering er volop werk was en brood zo goedkoop.' Mijn moeder heeft één ding gemeen met Juliana. Ze was al bij haar geboorte voorbestemd om een rol te spelen. In het geval van mijn moeder was dat huisvrouw. Verschillen zijn er ook. Mijn moeder had de pech te komen uit een arme familie met ouderwetse opvattingen over de rol van de vrouw. Juliana had het geluk het symbool te zijn van het Nederlandse volk en als jonge vrouw te mogen studeren. Zij kreeg als studente onder meer les over de islam van Snouck Hurgronje, de bekendste islamoloog van Nederland. Van hem leerde zij ongetwijfeld dat er binnen de islam grofweg twee richtingen bestaan, de liberale en orthodoxe variant. Van de orthodoxen mochten vrouwen, behalve blind gehoorzamen aan hun man, buitenshuis niet studeren of werken. Een studerende of werkende vrouw is voor hen een gevaar voor de status van de man.

De liberalen vinden discriminatie van de vrouw in naam van de islam weerzinwekkend en nemen daar publiekelijk afstand van. Zij geloven juist dat (meer) studerende en werkende moslima's een voorwaarde zijn voor emancipatie van de hele moslimgemeenschap. Juliana heeft op haar manier laten zien hoe dat in harmonie met je omgeving én met vastberadenheid zonder gewelddadige communicatie kan. Ze was opstandig, maar niet uit op zinloze polarisatie en wars van strenge religie. Neem nou het dragen van een hoofddoek. De hoofddoek dragen is niet verplicht, maar toch wordt het door veel moslims als een gebod geïnterpreteerd. Mijn moeder, die nu 62 jaar is, draagt een hoofddoek uit traditie. Een hoofddoek dragen is niet voorbehouden aan

moslima's. Juliana droeg er zelf ook wel eens een als ze ging fiet-
sen. Een hoofddoek is als symbool vergelijkbaar met een kroon
van een vorstin. Dat moet kunnen, vind ik. Sommige jonge moslima's met een hoofddoek overdrijven echter de symboliek van de
hoofddoek. Zij geven daarmee een politiek statement af: 'Kijk, ik
ben een moslima, dus draag ik er een!' Persoonlijk keur ik dit gedrag af. Het getuigt namelijk van weinig respect voor de moslima's die buitenshuis geen hoofddoek dragen, zoals mijn zus.

Koningin Juliana droeg op straat ook nooit een kroon op haar
hoofd om te laten zien dat zij een majesteit was. Zij geeft ook na
haar dood genoeg stof voor moslima's met of zonder hoofddoek
om hierover goed na te denken.

2   Moslims kunnen een voorbeeld nemen aan Claus

NRC Handelsblad, 14 oktober 2002.

> *Voor het loyaliteitsconflict waarmee veel Nederlandse moslims
> worstelen bestaat een uitweg: niet de oorspronkelijke identiteit
> ten koste van alles willen behouden, maar die koesteren en ook
> openstaan voor verandering, betoogt Youssef Azghari.*

Steeds meer Nederlanders vinden dat moslims gedwongen moeten worden ervoor te kiezen alleen loyaal te zijn aan de hier
heersende cultuur. De kern van de keuze is beperkt. Ben je voor
de islam dan ben je tegen de liberaal-democratische cultuur en
omgekeerd. Als je 'moslim' antwoordt, ben je *dus* niet loyaal aan
de Nederlandse grondwet. Klap je niet voor Hirsi Ali, dan steun je
dus geen vrijheid van meningsuiting. Het lijkt wel of de Bush-
doctrine 'wie niet voor ons is, is tegen ons' zijn intrede heeft gedaan in de Nederlandse samenleving. Loyaliteit is niet iets wat je
dwangmatig opeist, maar wat je op natuurlijke wijze verdient.
Prins Claus verdient alle lof, want hij heeft het loyaliteitsbegrip
treffend verwoord. Bij de bekendmaking van de verloving tussen
kroonprins Willem-Alexander en prinses Máxima antwoordde hij
op de vraag hoe hij zich als Nederlander voelt: 'Ik weet niet precies hoe het is om Nederlander te zijn. Ik heb verschillende loyaliteiten gekend. Ik ben Europeaan, wereldburger en Nederlander,
ja, dat komt er ook nog eens bij.'

Met deze woorden heeft hij grote indruk op mij gemaakt. Hij plaatst het begrip loyaliteit in een breed perspectief. Zijn kijk en zijn open houding naar andere culturen getuigt van een pars pro toto-identiteit. De mens is een deel van het geheel. Daarom doen mensen zichzelf tekort als zij loyaliteit in enge zin verstaan. Altijd moeten kiezen tussen de ene of andere partij hoeft geen optie te zijn.

Uit recente studies is bekend geworden dat veel moslimjongeren in loyaliteitsconflict komen. Dat is vooral in de periode wanneer ze gaan nadenken bij wie ze horen. Ze moeten voor hun gevoel kiezen voor de één of de ander. Vaak is het een opgelegde keuze. Een fout die dan wordt gemaakt is dat men de eigen loyaliteit eenzijdig neerlegt bij één partij. Dat is een misverstand, want niemand hoeft loyaal te zijn jegens slechts één partij of persoon. Er bestaan diverse loyaliteiten, bijvoorbeeld jegens je vrouw, kinderen, familie, vrienden, collega's, of de Nederlandse staat.

Het is dus ongewenst en onmogelijk om van iemand de exclusieve loyaliteit te eisen en hem of haar aldus verscheidene loyaliteiten te onthouden. Hoe extreem een persoon loyaal kan zijn aan één partij blijkt uit een recent incident in China. Een hand van een Chinese arbeider werd gegrepen door een machine. Zijn collega's durfden de machine niet stop te zetten, omdat ze loyaal waren aan de regel dat alleen de chef op de rode knop mocht drukken. Toen ze de chef om hulp riepen was het al te laat. Dit drama zou in Nederland waarschijnlijk niet plaatsvinden, omdat inwoners hier als zelfstandige burgers worden opgevoed. De Chinese cultuur lijkt in dit opzicht erg veel op hoe moslims de islamitische cultuur ervaren. Je mag niet afwijken van de groepsnorm, want het groepsdenken staat altijd boven de vrijheid van het individu. Mijn vader, die als gastarbeider naar Nederland kwam, heeft ook lang last gehad van het altijd voorop stellen van de eigen groep. Daarom heeft hij in het begin een flink deel van zijn salaris hier overgemaakt naar onze familie daar. Nu is zijn bijdrage beperkt tot de zomervakanties in Marokko. In dertig jaar tijd heeft mijn vader zich een stukje typisch westers individueel denken eigen gemaakt.

Een dilemma dat altijd zal blijven, is de vraag: naar wie moet je luisteren of wie moet je volgen als je in een extra cultuur opgroeit: je persoonlijke normen en waarden, of die van het collectief? Gelukkig hoeven we hier niet elke dag bij stil te staan, omdat al heel veel dingen in de grondwet geregeld zijn. Toch zie je in de media en de politiek dat de discussie over normen en waarden noodzakelijk is. Als de slogan van premier Balkenende 'fatsoen moet je doen' wordt toegepast op loyaliteit dan is het geen waarde, maar een norm.

Het is onder meer ook een verdienste van Pim Fortuyn geweest dat men in Nederland scherper over de eigen normen en waarden is gaan nadenken. Tegelijkertijd weten we dat hij terugverlangde naar het overzicht en orde van de jaren vijftig toen iedereen wist waar zijn plaats was. Toen was ook het groepsdenken hier nog nadrukkelijk aanwezig. De mentaliteit uit de jaren vijftig krijgt onder Nederlanders helaas nu weer meer aanhang. Zo vindt men dat moslims nu niet alleen moeten integreren maar het liefst ook moeten assimileren en publiekelijk afstand moeten nemen van hun geloof. Het is zeker waar dat migranten die zich niet openstellen voor de Nederlandse cultuur zichzelf stigmatiseren en buitenspel zetten. Maar het is ook waar dat assimilatie later kan leiden tot psychische (identiteits)problemen. We hoeven maar te kijken naar de oudere Indische Nederlanders om te weten dat gedwongen assimilatie in de jaren vijftig niet heeft gewerkt.

Een goede uitweg is dat iemand zijn oorspronkelijke identiteit niet ten koste van alles behoudt, maar koestert en open stelt voor verandering. Je verliest wat van je identiteit maar krijgt meer terug. Tijdens dit proces is het mogelijk om een dubbele loyaliteit te hebben. Dat kan zowel aan de eigen (moslim)achtergrond als aan het Nederlandse burgerschap. Een voorbeeld dat mij erg aanspreekt is een Israëlische Arabier die een paar weken geleden in Israël een zelfmoordaanslag in de bus probeerde te verijdelen, en zijn actie niet motiveerde vanuit zijn loyaliteit jegens de Palestijnen of Israëliërs, maar vanuit zijn menszijn. Daarom is het zo jammer om nu al die verhalen te horen dat sommige jonge moslims radicale beslissingen nemen over hun culturele achtergrond. Ze worden of oerconservatief of nemen totaal afstand van hun moslimcultuur. Een belangrijke reden voor deze opstelling is dat veel moslimjongeren de druk die uitgaat van wat zij als dubbele loyaliteit ervaren, zowel aan de eigen familie- als omgevingscultuur, niet aankunnen. Met enige aanpassing van wat jonge

moslims onder loyaliteit verstaan is het echter wel degelijk mogelijk zelfs meer dan twee loyaliteiten te hebben.

Loyaliteit is een dynamisch begrip, dat voortdurend aangescherpt
moet worden aan tijd en ruimte. Loyaliteit moet je van niemand
willen eisen, maar verdienen. Nederlandse moslims kunnen veel
leren van de normen en waarden hier, zoals vrijheid en zelfkritiek
maar men kan ook veel leren van moslimse normen en waarden,
zoals zelfrelativering en verantwoordelijkheid en zorg voor de familie en naasten. Emancipatie van moslims in Nederland is in deze zin niet alleen een puur individueel proces, maar ook afhankelijk van de loyaliteit van de groep waarvan het individu weer onderdeel is.

3   Niet spugen in de bron waar je ooit uit hebt gedronken

Trouw, 4 oktober 2002.

> *Allochtone schrijvers kunnen na 11 september ongezouten hun*
> *kritiek op de islam en hun frustratie kwijt. Er wordt daarbij*
> *nogal eens van alles op een hoop gegooid. Toch is zelfkritiek*
> *heilzaam voor de emancipatie van moslims.*

Toen moslims tijdens de Middeleeuwen in contact kwamen met
Europa vonden ze dat christenen een onderontwikkelde cultuur
kenden. Deze constatering, die onder meer stoelde op barbaarse
praktijken zoals heksenverbranding en gebrek aan kennis, werd al
gauw object van onderzoek.

Een aantal moslimgeleerden verdiepte zich in de vraag hoe het
kwam dat de Franken (zo werden Europeanen genoemd) zo achterliepen op de hoogstaande islamitische beschaving. De conclusie was dat dat lag aan het koude klimaat van Europa, waardoor
de hersencellen niet genoeg geactiveerd werden. Daardoor bleef
de christen in het Noorden dom.
Ook de van huidskleur donkere animisten en andere gelovigen in
het Zuiden konden nooit slim worden, omdat het daar weer te
heet was. Tussen deze twee polen leefden moslims in een klimaat,
dat niet te heet was in de zomer of te koud in de winter. Daarom

was het logisch dat moslims slimmer en beschaafder waren dan christenen.

Hoe frappant zijn de overeenkomsten met de 21ste eeuw. Het enige verschil is nu de vraag hoe het komt dat moslims achterlopen op de westerse beschaving. Steeds meer stemmen in het Westen durven openlijk te spreken over de islam als achterlijke cultuur. Het is verhelderend om zulke kritieken frank en vrij te horen. In elk geval is de krampachtigheid die nog vóór 11 september het debat over de islam kenmerkte en waar het merendeel van de Nederlanders last van had, gelukkig achter ons. Vooral allochtone schrijvers krijgen nu alle ruimte om hun ongezouten kritieken en soms frustraties van zich af te schrijven. Zo laat een aantal jonge schrijvers bijna niets heel van 'hun islam'.

Het is aan de ene kant zeer herkenbaar, want als je jong bent zet je je af tegen het gezag. Bovendien is het bekend dat sommige allochtone jongeren, waaronder enkele Marokkaanse schrijvers, van huis uit nooit hebben geleerd om te gaan met vrijheid, laat staan met vrijheid van meningsuiting.
Aan de andere kant getuigt het van weinig inzicht in de eigen achtergrond als een enkeling alleen de donkere kant van 'zijn of haar islambeleving' benadrukt. Zo hebben sommigen geen goed woord over voor de cultuur van hun vaders, terwijl 'deze helden' juist door te migreren naar hier hun kinderen ervoor behoed hebben een schaapsherder in Marokko te worden. Nu kunnen deze Marokkaanse schrijvers erover fantaseren in hun verhalen.

Het is niet altijd duidelijk over welk facet van de islam men schrijft of discussieert. Vaak merk je dat in debatten alles door elkaar wordt gehaald. Ook ervaringsdeskundigen doen dat. Islamitische cultuur met politieke islam, pre-islamitische tradities met religie: alles wordt op één hoop gegooid. Ik geloof dat alle kritiek op de ideologie en de wereld van de islam heilzaam kan zijn voor de emancipatie van moslims. Maar kritiek werkt alleen goed als je eerst bij jezelf begint. Daarna kun je kritisch bekijken welke andere factoren nog meer jouw leven hebben beïnvloed of vergald.

Daarom vind ik dat je de koran heel kritisch moet lezen. Mahmud Taha heeft ons geleerd hoe dat kan. Hij verdeelt de hoofdstukken van de koran in lange en korte soera's. In de korte soera's bevinden zich volgens hem vooral de universele normen en waarden, zoals vrijheid van godsdienst, en in de lange soera's historische beschrijvingen, zoals de strijd tussen moslims en niet-moslims in de vroegste historie. Zo bezien moet je de lange soera's, die soms doordrenkt zijn met oorlogsretoriek tegen 'de aanvallers van de islam', dus vooral in de historische context plaatsen. Het is dan ook niet vreemd dat Osama bin Laden vooral passages uit de lange soera's citeert om moslims op te hitsen tegen 'de kruisvaarders en de joden'. Deze gewelddadige polemieken van Bin Laden doen ons denken aan de georganiseerde kruistochten tegen 'het groene gevaar'. Osama bin Laden wil het 'land van Mohammed' bevrijden van de ongelovige Amerikanen en zionisten. De christenen zagen het in de late Middeleeuwen ook als hun heilige opdracht om 'het land van Jezus' te bevrijden van de in hun ogen ongelovige moslims.

De kruistochten tegen de islam werden voorafgegaan door felle polemieken tegen de islam. Moslims reageerden hierop met hun polemieken tegen het christendom. Tot aan deze tijd toe. Zo doen opiniestukken over de politieke islam van bijvoorbeeld strafrecht-docent Afshin Ellian mij erg sterk denken aan de christelijke polemieken. Deze polemieken waren al uitgebroken voordat het jaar nul van de islamitische jaarkalender begon. Niet altijd bleef het bij verbaal geweld. Zelfs poëzie, in de vorm van spotgedichten, werd als middel ingezet om moslims te kwetsen. De profeet Mohammed beantwoordde deze gedichten met zijn geopenbaarde soera's. Er is sinds die tijd eigenlijk niets veranderd, behalve dan dat de spotgedichten in de loop van de tijd zijn vervangen door proza, opiniestukken, lectuur, cartoons, televisiebeelden, enzovoorts.

Het lijkt erop dat islam net als kunst de wereld blijft boeien. Hoe komt dat? Ik beperk me hier tot één reden. Heel lang heerste in Nederland de gedachte dat een paradox als 'integratie met behoud van eigen culturele identiteit' mogelijk was. Een paradox die achteraf een illusie blijkt te zijn. Op het moment dat je je begeeft in een nieuwe samenleving zul je vanzelf een stukje van je (moslim)identiteit verliezen. Daar krijg je een nieuw stukje, dat nog rijker is, voor terug. Dat betekent niet dat je de bron van waaruit je ooit gedronken hebt meteen vol moet spugen. Beter is het vele groen dat de bron nu overwoekert te verwijderen. Daarom ben ik er ook niet voor om je (moslim)identiteit ten koste van alles te behouden, want dan word je vanzelf fundamentalist. Het andere uiterste is streven naar uiterlijke identiteitsverwisseling of absolute assimilatie. Vroeg of laat komt men erachter dat dat ook niet werkt. Identiteit is dus niet iets om te behouden of in te ruilen, maar om het steeds kritisch te bevragen. Alleen in confrontatie met mensen die anders zijn dan jij kom je erachter wie je bent.

4   Allochtone kind is bang om na te denken

Trouw, 22 april 2003.

> *Onderwijs in de eigen taal moet allochtone kinderen stimuleren beter na te denken. Zo kunnen kinderen los komen van de eigen autoritaire cultuur. Het leren voeren van kritische gesprekken kan de rem op de vooruitgang wegnemen.*

Het onderwijs in eigen taal dat veel allochtone kinderen op de basisschool krijgen is controversieel. Het is nog onduidelijk of een nieuw kabinet het zal handhaven. In de jaren tachtig geloofde de overheid nog heilig in het zogeheten onderwijs in allochtone levende talen (Oalt). Het zou als katalysator werken bij het leren van Nederlands. Inmiddels is men daar niet zeker meer van. Het gaat dan ook niet goed met dit onderwijs.

De overheid maakt een gekunsteld onderscheid tussen taal en cultuur. Onderwijs in eigen taal gaat alleen over taal; cultuur is een buitenschoolse activiteit. Taal kan echter nooit los staan van cultuur, omdat taal cultuur is en cultuur taal levendig maakt.

Daarnaast is de ene docent het Nederlands veel beter machtig dan de andere. Afgaande op signalen in het basisonderwijs bestaat er bovendien een zeer hoog ziekteverzuim onder de docenten in eigen taal. De vraag is of zij zich wel voldoende gewaardeerd voelen in hun vak en assertief en zelfkritisch genoeg zijn om er meer inhoud aan te geven. Ook worden docenten vaak ingezet als een soort klassenassistent om bijvoorbeeld bijles aan allochtone kinderen te geven.

Om het onderwijs in eigen taal nieuw leven in te blazen, is een nieuwe visie nodig. Dit onderwijs moet niet langer uitgaan van taalondersteuning, maar van denkondersteuning. Taal is een instrument om na te kunnen denken. Taal zelf leidt niet tot nieuwe inzichten, denken wel. Onderwijs in eigen taal moet daarom allochtone kinderen aanmoedigen tot zelfstandig denken. Denken kan, bijvoorbeeld met discussies, in de klas geoefend worden. Helaas stimuleert de huidige docent in eigen taal nauwelijks deze denkvaardigheid. Meestal beperkt die zich tot kennisoverdracht.

Dat komt voort uit een aantal culturele factoren. Als een docent bijvoorbeeld in Marokko heeft gestudeerd, dan is hij zelf niet gestimuleerd om kritisch te zijn ten opzichte van opgedane kennis. Het Marokkaanse onderwijssysteem nodigt nog steeds niet uit om kritisch te denken. Kinderen leren niet te twijfelen aan kennis. Daardoor zijn ze niet gericht op het ontwikkelen van een analytisch vermogen, laat staan creatief denkvermogen, maar op uit het hoofd leren van kennis.

Bovendien wordt het in de Marokkaanse traditionele cultuur niet gewaardeerd om in discussie te gaan met de docent, de vader of een andere autoriteit. Dit komt doordat deze ongeschreven Marokkaanse norm, namelijk het hebben van een overdreven respect voor de autoriteit en ouderen, het tegenspreken of in twijfel trekken van kennis van zo'n autoriteit verbiedt. Kinderen die zich niet houden aan deze norm moeten zich schamen voor hun onderzoekend gedrag en worden meestal ook gestraft. Kinderen die zich keurig houden aan deze norm worden echter beloond voor hun passieve houding.

Daarnaast groeien Marokkaanse kinderen op in een cultuur van angst en wantrouwen, die niet leidt tot openheid voor nieuwe ideeën. Deze culturele factoren vormen tezamen een ideale situatie waarin onwetendheid welig blijft tieren. De cultuur van angst, waarin kinderen leren om vooral bang te zijn voor de toorn van Allah en andere autoriteiten zoals vader, docent en zelfs de staat, maakt van kinderen later behalve passieve ook bange mensen. Doordat kritische dialoog met de autoriteit niet gewaardeerd wordt, komen kinderen niet snel tot nieuwe inzichten. Vanwege gebrek aan dialoog kan er zo ook nooit communicatie plaatsvinden tussen leraar en leerling of tussen vader en zoon. De kans is erg groot dat de student, die later docent wordt, dezelfde ouderwetse methode gebruikt om kennis over te dragen.

Het onderwijs in eigen taal zou de denkvaardigheid van het allochtone kind centraal moeten stellen. Het moet zo ingezet worden dat allochtone kinderen vroegtijdig leren bewust na te denken over de typische kenmerken van hun culturele achtergrond. Kinderen moeten zelf gaan denken waarin zij verschillen en, misschien nog belangrijker, overeenkomen met hun Nederlandse medeleerlingen. Helaas wordt het denken bij een allochtoon kind, vanwege onder meer de eerder geschetste culturele factoren, door hun ouders te weinig gestimuleerd, dus moet de school die taak overnemen.

In het onderwijs in eigen taal zou meer ruimte moeten komen voor discussies, waarin allochtone kinderen geconfronteerd worden met vragen en dilemma's. Het vroeg leren zelfstandig te denken is op termijn de enige weg om de eigen rem op vooruitgang op te heffen en de emancipatie van allochtonen te stimuleren.

5   Shouf Shouf

Trouw, 31 augustus 2004

> *De speelfilm 'Shouf Shouf Habibi' wordt ongetwijfeld ook in het buitenland een hit. Nu al hebben ongeveer veertig landen de bioscooprechten gekocht.*

De film draait om een Marokkaanse familie die beantwoordt aan alle vooroordelen. De vader, een ex-gastarbeider, is verbitterd over zijn gezin. De moeder is analfabeet en zeer bijgelovig. De hoofdrolspeler Ap is een lui crimineeltje met kapsones. Hij vindt alle Nederlanders racisten en dat is de reden voor zijn dwaling. De oudste broer Sam is in Nederlandse ogen weliswaar geslaagd, want hij werkt als politieagent en houdt van André Hazes. In Marokkaanse ogen is hij echter een verrader en moet hij zich diep schamen voor zijn metamorfose. Dochter Leila moet tegen haar zin in trouwen met een landgenoot. Zo niet, dan is ze een hoer. Omdat ze het daar niet mee eens is loopt ze heel hard weg. Zo valt ze in de armen van een Hollandse jongen, die er door haar achter komt dat een liefdesrelatie meer inhoudt dan seks.

De film heeft op mij, als Marokkaan, een positieve indruk gemaakt. De grappige dialogen en de simpele Nederlandse en, soms harde, Marokkaanse humor prikkelden regelmatig mijn lachspieren. Het viel mij wel op dat Marokkanen in de bioscoop vaak om heel andere dingen moesten lachen dan Nederlanders. Zo grinnikten vooral Marokkaanse toeschouwers om de vader van Ap, die via het spreekwoord 'Sla hem dood en ik begraaf hem', de onderwijzer iets duidelijk wilde maken. Hij mocht zijn zoon slaan, terwijl dat hier niet mag. Zulke botsende waarden zijn zeer herkenbaar en leiden, behalve tot miscommunicatie, ook tot grote hilariteit. Voor sommige Marokkanen bestaan er geen grenzen aan leedvermaak.

Toen Ap bijvoorbeeld zijn weggelopen zus Leila in elkaar sloeg, zweeg het Nederlandse publiek als het graf. Tegelijkertijd kon ik het luide gejoel en gelach van een aantal Marokkanen goed horen. Zelfs om de dood en begrafenis van de vader in Marokko werd er nog harder gelachen door Marokkanen dan Nederlanders. Kennelijk houden Marokkanen meer van zwarte humor dan Nederlanders. Dat is wat mij in een notendop opviel aan deze komedie, die mij in een vrolijke stemming bracht.

Pas toen de film afliep, voelde ik een lichte irritatie in mij opkomen door een vraag van een jonge Nederlandse vrouw, die in de bioscoop één stoel van mij verwijderd was. Zij vroeg zich af of deze film nu een belediging was voor mij, met mijn achtergrond. Nu stond ik wel stil bij de impact van zo'n komisch familiedrama. Of deze vraag voortkwam uit naïviteit of onwetendheid weet ik niet. Ik stelde aan haar in ieder geval een retorische vraag: 'Voelde jij je dan als Nederlandse beledigd toen jij *Flodder* zag?' Na een korte stilte schudde ze even met haar hoofd, glimlachte naar me en liep meteen door. Ik begrijp werkelijk niet waarom zo'n film met het beladen woord 'integratie' wordt verbonden. Omdat *Shouf Shouf* vol zit met halve waarheden en flauwekul is het zeker nog geen multi-culti-film, die het rapport over integratie van de commissie-Blok vervangt. Het is gewoon een Marokkaanse variant van *Flodder*, maar dan zonder seks. Luchtig en eenvoudig.

Als je niet na wilt denken, dan kom je bij *Shouf Shouf* ruimschoots aan je trekken.

De film is net één grote mop. Behandel je hem anders of vat je hem persoonlijk op, dan valt er helemaal niets te lachen. Daarom moet je deze komedie niet al te serieus nemen, want welke sadist lacht nou in het echt om het leed van een Marokkaanse familie? Alleen sukkels, die zelfspot niet waarderen of begrijpen en geen verschil maken tussen fictie en werkelijkheid, vatten de film op als een belediging. Nu maar hopen dat *Shouf Shouf 2* ook de Turken eens op de hak neemt. Iedereen weet nu toch al dat Marokkanen net bokken zijn en Turken schapen.

6   Koranhumor

Trouw, dinsdag 23 november 2004

> *Sinds de moord op Theo van Gogh lijkt het in het buitenland zo geroemde Nederlandse poldermodel definitief begraven te zijn. Het is echter de vraag of dit model van onder meer plooien, onderhandelen en compromissen sluiten in Nederland is uitgevonden.*

De onheilsprofeten, die slechts tegenstellingen opblazen en haat aanwakkeren, krijgen hier een steeds grotere aanhang. Narcistische moslimhaters en debiele moslims met middeleeuwse opvattingen, die het Westen haten, wensen geen enkele dialoog met wie dan ook. Zij maken de discussies tussen moslims en niet-moslims zo loodzwaar dat iedereen denkt dat de islam nooit met humor samen kan gaan. Zelfs de makers van de succesvolle komische film Shouf Shouf Habibi zijn afgeschrikt. Ze hebben het vervolg, Shouf Shouf Baraka, uitgesteld.

Ik maak me zorgen over het verdwijnen van de humor in de openbare ruimtes en daarom doe ik bij deze een beroep op de koran. Voor wie goed tussen de regels leest, zit dit heilige boek van de moslims vol met humor: grappige contradicties en anekdotes getuigen ervan.

Laat ik beginnen met polygamie. Een moslimman mag maximaal vier vrouwen trouwen (koran, soera 4, vers 3). Deze regeling ontstond in een tijd waarin, door de vele stammenoorlogen, een overschot aan vrouwen bestond. Aan zo'n huwelijk zit ook een voorwaarde en die werkt een klein beetje op de lachspieren. Een moslimman die met vier vrouwen trouwt, moet ze allemaal gelijk behandelen. Dus is hij verplicht ze stuk voor stuk evenveel aandacht als liefde te geven. Verderop in dezelfde soera staat dat zo'n gelijke behandeling niet mogelijk is (koran, 4:129). Ik ga pas echt mijn wenkbrauwen fronsen als sommige fundamentalistische moslimmannen in deze moderne tijd menen polygamie te vuur en te zwaard te moeten verdedigen. Ze geven er ook nog een morele draai aan. Trouwen met meer vrouwen zou volgens hen het vreemdgaan van de man tegengaan, alsof ze die behoefte nog zouden hebben als ze al zoveel vrouwen hebben! Een ander voorbeeld van een moslimregel die door de interpretatie van de vroegere moslimgeleerden nog steeds erg van invloed is op de moslimgeesten, is het verbod van alcohol. Je gaat twijfelen aan zo'n radicale interpretatie als je in de koran ook een vers tegenkomt waarin staat dat je niet mag bidden als je dronken bent (koran, 4:43). Veel later wordt een vers in de koran opgenomen dat naast het gokken ook het drinken van wijn ontraadt. Over bier of sterke drank wordt nergens gerept. Deze constatering op zich is niet zo lachwekkend, maar wel als je in de koran uitgebreid leest dat je na je dood, in het paradijs, als beloning voor je onthouding oneindig veel heerlijke wijn mag drinken (koran, 47:15).

Een laatste voorbeeld van humor in de islam put ik uit de overleveringen over de mythische hemelvaart van profeet Mohammed. Tijdens zijn reis door de zeven hemelen maakt hij kennis met alle andere profeten, zoals Abraham, Mozes en Jezus. In de hoogste hemel ontmoet hij Allah. Profeet Mohammed wil van God weten hoe vaak gelovigen per dag moeten bidden. Allah antwoordt hem dat 55 keer per dag bidden hem wel redelijk lijkt. Mohammed daalt af en komt op de terugweg profeet Mozes tegen. Mozes vraagt hem wat hij met Allah zoal heeft afgesproken. Als Mohammed het verhaal vertelt van de 55 gebeden per dag zegt Mozes: 'Ga terug naar onze Heer en smeek Hem deze last te verlichten, want de mensheid is te lui en te zwak om hem te dragen.' Mohammed herhaalt dit ritueel een paar keer totdat hij met God het aantal van vijf keer per dag bidden overeenkomt. Als Mozes hem weer vraagt het aantal gebeden naar beneden te schroeven doet Mohammed dat niet. Hij schaamt zich om opnieuw te onderhandelen met God. Uit dit verhaal blijkt dus dat het poldermodel helemaal niet uitgevonden is op de Nederlandse aardbodem, maar in de hemel door Onze Heer en de profeten Mozes en Mohammed.

7 Ik kreeg een oorvijg van mijn vader toen ik hem wees op een getekende voorstelling van God

Trouw, 14 februari 2006

Als moslim voel ik mij niet gekwetst door de wereldberoemde Deense cartoons over profeet Mohammed. Ik deel de wereldwijde woede en irritatie niet. Ik associeer de karikaturen niet met een profeet die bijna anderhalf miljard moslims inspireert. Natuurlijk weet ik waar de gevoeligheid ligt. In de islamitische opvoeding word je oneindig veel respect voor profeet Mohammed bijgebracht. Voor een aanzienlijk deel van de moslims heeft hij een goddelijke status bereikt. Hem afbeelden is uit den boze, want dat staat gelijk aan heiligschennis. Dit geldt ook voor God en andere profeten. Jezus aan het kruis is voor moslims ook godslastering.

De angst om heiligen te aanbidden als een god is zo groot dat alleen eraan denken hoe ze mogelijk eruit zouden kunnen zien niet mag. Ik heb dat als kind van negen ervaren. Zo kreeg ik een oorvijg van mijn vader toen ik hem een keer wees op een getekende voorstelling van God. 'Dit is God!', zei ik in mijn onschuld, terwijl ik wees naar een tekening van een vriendelijke man met een lange witte baard. Sindsdien heb ik het uit mijn hoofd gelaten om van Hem een voorstelling te maken. Maar me eraan ergeren of me boos maken als de ander dat wel doet vind ik niet de moeite waard.

Echt boos werd ik toen ik moslims op het scherm zag die als wilden alles wat Deens is in lichterlaaie zetten. Ik vind het laf om een heel land verantwoordelijk te stellen voor wat een individu in vrijheid heeft gemaakt. Een boycot tegen Denemarken steun ik niet. De Deense krant maakte voor het publiceren van cartoons al excuses. Dan gaat het mij te ver om ook van de Deense premier vergeving te eisen.

Net als de profeet houd ik van humor, dus ook van spotprenten. Vooral als ze mij aan het lachen maken en prikkelen tot nadenken. Daarom lees ik de gewraakte cartoons als getekende moppen. Een enkele vond ik zeer grappig, zoals de man die aan de hemelpoort de zelfmoordenaars waarschuwt dat de maagden op zijn. Verder deed het me niets. Zelfs niet die cartoon waar op een tulband, in de vorm van een bom, een Arabisch woest uitziende man de geloofsbelijdenis 'Ik geloof in één God en Mohammed is zijn profeet' gekalligrafeerd stond.

Het zal me een rotzorg zijn hoe sommige niet-moslims, waaronder een aantal islamhaters, over Mohammed denken. Vrijheid van spreken en tekenen kent geen grenzen. Als sommigen toch over de schreef gaan dan kunnen ze in een democratisch land met de grondwet in de hand worden vervolgd. Hier komt het zelden voor dat iemand om verkeerde uitspraken, zoals 'homo's zijn lager dan varkens', wordt berecht.

Ik houd van een scherp debat, want daardoor worden verschillen tussen mensen en hun denken helder. Confrontatie van denkbeelden hoort erbij en is noodzakelijk om je als individu te kunnen onderscheiden. Vrijheid van meningsuiting kan niet zonder debat. Maar moslims, zoals de Deense imam Ahmed Abu Laban, gooien olie op het vuur. Zij grijpen de cartoons aan om onder het mom van 'islam wordt bedreigd' andere moslims op te hitsen tegen het Westen. Dat geldt ook voor een aantal Europese kranten, die nu onder het mom van 'persvrijheid wordt bedreigd' ook na de rellen de cartoons herdrukken. Zij willen slechts provoceren.

Echter, als ik gedwongen word om te leven in een land waarin vrijheid heerst of een land waar respect de boventoon voert dan kies ik voor vrijheid. Dan neem ik mensen die kwetsen om te kwetsen voor lief. Het alternatief, ten koste van vrijheid de harmonie bewaren, is erger. Met te veel respect voor de ander kweek je een beerput van onuitgesproken frustraties. De enigen die bij de cartoonrellen garen spinnen zijn extremisten die in naam van hun liberale of radicaal-islamitische jihad oorlog willen tussen leden van de islamitische en westerse beschaving.

8   De zwart-witbeelden in 'Vallei van de Wolven' doen niets af aan de broodnodige boodschap

Trouw, dinsdag 28 februari 2006

Het voorstel van de Beierse premier Stoiber om de Turkse film *Vallei van de Wolven* te verbieden is veel Turken in het verkeerde keelgat geschoten. De film zou racistisch en anti-westers zijn en haat en wantrouwen zaaien tegen het Westen. Om de Turkse jongeren in Europa voor deze kwalijke invloeden te behoeden en zo de dialoog te redden is verbod volgens hem dé oplossing. Dat zo'n omstreden voorstel, zeker na de Deense cartoonrellen en al die heftige discussies over de grenzen van vrijheid, vooral de reactie 'meten met twee maten' onder de Turken oproept is voorspelbaar.

Om zelf te bepalen hoe erg deze film was, toog ik afgelopen weekend naar de bioscoop. Ik wilde met mijn eigen ogen zien hoe verderfelijk deze kaskraker is. Daar zat ik dan met popcorn in de hand in een bijna lege bioscoopzaal. Ik telde niet meer dan vijftien Turken en een enkele Nederlander. Ondanks de lage opkomst wachtte ik met spanning af wat voor anti-westers beeld ik voorgeschoteld zou krijgen.

De film begint met het in beeld brengen van de manier waarop Amerikaanse militairen op 4 juli 2003 elf Turkse soldaten in Irak arresteren en met een zak over hun hoofd meenemen. Dit zak-over-het-hoofd-incident zorgde in Turkije destijds voor veel opschudding. De Turken voelden zich zwaar vernederd door de arrogante supermacht. Aan de geheim agent Polat Alemdar, zeg maar de Turkse James Bond, dus de taak om de Amerikanen een lesje te leren. Hij verbeeldt met zijn spectaculaire acties vooral de Turkse identiteit. Vaderlandsliefde, menselijkheid, respect voor het eigen geloof, moed, geduld en strijdbaarheid vormen tezamen het ideale imago dat iedere Turk met trots uitdraagt. Samen met zijn twee maatjes wil hij het gezichtsverlies van zijn militaire broeders alsnog redden. De schurkenrol wordt vertolkt door een in Irak gelegerde Amerikaanse CIA-commandant, genaamd 'Sam'. Hij is een gewetenloze christenfanaat die met plezier moslims uitmoordt. De inspiratie voor zinloos geweld put hij dagelijks uit zijn dialoog met Christus. Verder berust de film voornamelijk op fictie en wisselen in een moordend tempo verschillende stereotiepe beelden elkaar af. Zo zien we hoe een Joodse arts de rol van de beruchte nazi dr. Mengele speelt. Hij verwijdert organen uit lichamen van de Iraakse gevangenen in Aboe Ghraib en verkoopt ze in onder meer Tel Aviv.

De drie Turkse helden gaan, met hulp van de lokale bevolking, de Amerikaanse Rambo's te lijf. Door hun 'superieure' intelligentie slagen zij in hun missie. De hele film zie je ze schietend en rollebollend over het scherm vliegen. Ik kreeg het gevoel dat ik midden in het bloederige strijdgewoel terechtkwam.

Tussen al het geweld door bevat de film, voor wie het wil zien, ook wijze lessen en een zinvolle boodschap. Zelfmoordenaars die in naam van Allah uit wraak op de vijand zichzelf opblazen, belanden niet in het paradijs, maar in de hel. Terroristen die de islam misbruiken en journalisten ontvoeren en doden zijn oorlogsmisdadigers. Je verlagen tot de criminele acties van de ander is toegeven aan de verleidingen van de satan. Dat is een geluid dat we te weinig horen in een wereld die nu verscheurd wordt door het principe van 'oog om oog, tand om tand'. Gebruik van zwartwitbeelden in de film doet niets af aan deze broodnodige boodschap. Dat geldt ook voor Hollywood-films waar Arabieren vaak de rol van de slechteriken spelen. Karikaturale beelden over de ander zeggen meestal iets over degene die ze neerzet. Als een Duitser vindt dat de Turk zich te veel door emoties laat leiden dan vindt hij met andere woorden zichzelf heel 'nuchter'. Dat Stoiber de film racistisch vindt vanwege de karikaturen vind ik zwaar overdreven. Door het meteen te willen verbieden, verwoordt hij vooral de onderbuikgevoelens van zijn geestverwanten. Volgens mij getuigt dit meehuilen met de wolven in het bos van het onnodig zaaien van angst.

Youssef Azghari

Register